TRUCS ET CONSEILS

SAVOIR
COMMUNIQUER

ROBERT HELLER

D0774035

MANGO PRATIQUE

UN LIVRE DE DORLING KINDERSLEY

Première édition en Grande-Bretagne en 1998 par
Dorling Kindersley Limited
9 Henrietta Street, Londres

© 1999 Mango Pratique pour la langue française
Dépôt légal : mai 1999
Traduction et adaptation : Muriel Leroux
Composition, mise en pages : Studio Michel Pluvinage
Imprimé en Italie

ISBN 2 84270 131 3

MANGO PRATIQUE

SOMMAIRE

INTRODUCTION

Bien communiquer est très important pour un responsable d'entreprise. Qu'il s'agisse de vous exprimer sans crainte en public ou de négocier avec aisance, Savoir communiquer vous aidera à développer vos compétences en la matière. De la compréhension du langage du corps à la rédaction de rapports, cet ouvrage aborde clairement tous les aspects essentiels de la communication en entreprise. Les conseils pratiques sur le bon usage des relations publiques, de la publicité, de l'informatique et des techniques de diffusion de l'information, et les 101 trucs dispersés au fil des pages vous apportent d'autres informations essentielles que vous pourrez tester en fin d'ouvrage. À mesure où vous progresserez, cet ouvrage vous soutiendra dans vos efforts à exploiter et à développer vos nouvelles compétences.

Connaître les Règles de Base

Tout le monde communique d'une manière ou d'une autre, mais rares sont les responsables d'entreprise qui savent délivrer un message avec le maximum d'efficacité. Apprenez certaines règles de base qui vous aideront à transmettre clairement vos messages.

S'Efforcer
de Mieux Communiquer

Une communication efficace est le moteur d'une entreprise. Ses formes sont multiples mais visent toujours à transmettre un message. Sachez exploiter tous les moyens pour en contrôler le flux et améliorer vos qualités relationnelles.

1 Encouragez votre entreprise à développer toutes les formes de communication.

2 Mieux vous communiquerez et meilleur vous serez dans vos fonctions de responsable.

Être Efficace

Une communication efficace (et donc une entreprise performante) s'articule sur le fait d'être compris et de recevoir en retour des réponses qui font évoluer l'échange (de préférence dans le sens qui vous intéresse). Communiquer est toujours un processus bidirectionnel. Un responsable d'entreprise communique pour demander l'exécution de tâches, fournir et obtenir des informations, prendre des décisions, trouver des consensus et développer des relations.

DÉTECTER LES BARRIÈRES

Toute communication implique au minimum deux parties dont les désirs, les besoins et les comportements peuvent différer, parfois jusqu'au conflit. Ils constituent alors des barrières qui nuisent à la bonne transmission et la réception d'un message. Pour réussir à communiquer, vous devez surmonter ces barrières et avant tout les déceler.

▼ **COMMUNIQUER DE MANIÈRE POSITIVE**
Faire tomber les barrières est le premier pas vers une bonne communication. Maintenir le contact du regard, écouter son interlocuteur et adopter son langage du corps sont les clés d'une communication réussie.

Tournez-vous vers votre interlocuteur pour prouver votre bonne volonté à l'écouter.

Pencher légèrement la tête vers l'avant est un signe d'écoute.

Regardez votre interlocuteur dans les yeux.

Faites tomber les barrières en adoptant les poses et les attitudes de votre interlocuteur.

S'EXPRIMER CLAIREMENT

La clarté est le maître mot des trois règles d'une communication efficace :
Savoir exactement ce que vous souhaitez transmettre ;
Délivrer votre message de manière succincte ;
S'assurer que votre message a été clairement et correctement compris.
Bien communiquer implique d'exprimer clairement ses pensées et de comprendre parfaitement les réactions qui en découlent.

 3 Évitez tout préjugé lorsque vous tentez de faire tomber les barrières de vos interlocuteurs.

Choisir son Mode de Communication

Avant de transmettre un message, il est primordial de bien choisir votre mode de transmission. Les choix les plus courants sont l'écrit et l'oral. Si vos préoccupations premières sont la rapidité et la facilité, transmettez votre message oralement. En revanche, si vous voulez donner un caractère plus permanent et méthodique à votre message, optez pour l'écrit qui requiert une réponse plus réfléchie. L'informatique vous ouvre bien d'autres voies avec l'émergence d'un support hybride associant les avantages de l'écrit à ceux de l'oral. En effet, l'arrivée du courrier électronique permet dorénavant de transmettre des informations par téléphone sous forme de courrier pouvant être archivé. Déterminez d'abord la teneur de votre message, puis sélectionnez la méthode la mieux appropriée à sa transmission, sous réserve de bien maîtriser sa technique.

Différences Culturelles

Les mots et les gestes employés pour communiquer sont aussi variés que les spécialités culinaires. Les Japonais et l'ensemble des Asiatiques gardent plus volontiers le silence que les Européens. Les Allemands, les Nordiques et les Britanniques, moins volubiles que les Latins, sont également plus réservés dans leurs gestes. Les Britanniques ont tendance à ne pas révéler le fond de leurs pensées tandis que la franchise des Australiens est parfois déconcertante. Les Américains aiment communiquer par le biais de réunions et de slogans truffés d'images.

4 Choisissez votre méthode en fonction du message à communiquer.

5 Chaque fois que possible, servez-vous de supports visuels.

Combiner les Méthodes

Les méthodes de communication se classent en cinq catégories : l'écrit, l'oral, le geste symbolique, l'image et la combinaison de deux de ces méthodes ou plus. Les quatre premières fonctionnent très bien isolément, mais nous avons la certitude qu'une combinaison de méthodes est plus attrayante et favorise la compréhension et la mémorisation. Si vous les associez, elles sont plus convaincantes.
Vous pouvez notamment combiner des supports publicitaires et des technologies informatiques, telles que le multimédia et la vidéoconférence. Le multimédia, qui permet de mieux exploiter des éléments visuels, s'affirme comme l'outil idéal pour communiquer avec un grand nombre de personnes, plus particulièrement les salariés d'une grosse entreprise.

CHOISIR SES MÉTHODES DE COMMUNICATION

TYPE DE COMMUNICATION	EXEMPLES	AVANTAGES

ÉCRIT
Dans toutes les langues, l'écrit est la base de la communication des sociétés évoluées.

Lettres, notes de service, rapports, propositions, notes, contrats, résumés, ordres du jour, avis, règlements, projets, documents de travail.

L'écrit, base de la communication en entreprise, est apprécié pour sa permanence et sa facilité.

ORAL
Méthode efficace uniquement si les destinataires ciblés sont atteints.

Conversations, entretiens, réunions, appels téléphoniques, débats, requêtes, comptes rendus oraux, annonces, discours.

L'échange verbal en direct ou au téléphone est apprécié pour son instantanéité. C'est le principal outil de travail au quotidien des entreprises.

GESTES SYMBOLIQUES
Toute attitude positive ou négative perceptible à la vue ou à l'ouïe de votre interlocuteur.

Gestes, expressions du visage, actes, actions, ton de voix, silence, position, attitude, mouvement, immobilité, présence, absence.

Les actes et le langage du corps marquent profondément, mais de manière inconsciente (la propagande joue sur la manipulation de signes positifs et négatifs).

IMAGES
Images perceptibles par un groupe cible.

Photographies, peintures, dessins, illustrations, graphiques, dessins animés, diagrammes, vidéos, logos, films, graffitis, collages.

Les images sont appréciées car elles agissent au niveau du conscient comme de l'inconscient.

MULTIMÉDIA
Combinaison des méthodes ci-dessus, qui implique souvent l'informatique.

Télévision, journaux, magazines, brochures, dépliants, prospectus, affiches, Internet, Intranet, Web, vidéo, radio, cassettes, CD-ROM.

Ces outils se révèlent particulièrement utiles lorsqu'ils sont interactifs. Mieux vous saurez les exploiter et plus ils seront efficaces et rentables.

COMPRENDRE
LE LANGAGE DU CORPS

V̇otre langage du corps (une multitude de mouvements corporels inconscients) peut aussi bien améliorer la communication que la détériorer. Même assis, totalement immobile, votre corps peut transmettre inconsciemment des messages qui traduisent vos sentiments réels.

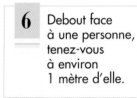

6 Debout face à une personne, tenez-vous à environ 1 mètre d'elle.

COMMUNIQUER VIA ▼ LE LANGAGE DU CORPS

L'attitude est capitale dans le langage du corps. Lors d'une première rencontre, les trois attitudes illustrées ci-dessous laisseront des impressions très différentes. Une attitude positive peut avoir une influence bénéfique sur l'issue d'une rencontre car elle incite à la communication ouverte tandis qu'une attitude négative nuira à la communication.

LIRE LE LANGAGE DU CORPS

Compte tenu de leur subtilité et de leur diversité, les signes du langage du corps sont difficilement perceptibles et contrôlables. Apprenez à les décrypter pour détecter les pensées de vos interlocuteurs. Par exemple, une personne mal à l'aise car elle ment se trahira par un langage du corps maladroit ou embarrassé.

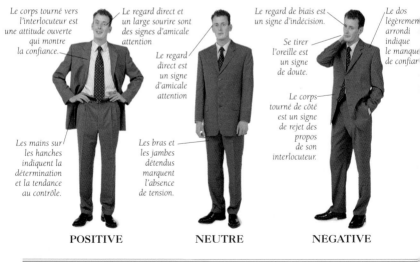

Le corps tourné vers l'interlocuteur est une attitude ouverte qui montre la confiance.

Le regard direct et un large sourire sont des signes d'amicale attention

Le regard direct est un signe d'amicale attention

Le regard de biais est un signe d'indécision.

Le dos légèremen arrondi indique le manque de confiar

Se tirer l'oreille est un signe de doute.

Le corps tourné de côté est un signe de rejet des propos de son interlocuteur.

Les mains sur les hanches indiquent la détermination et la tendance au contrôle.

Les bras et les jambes détendus marquent l'absence de tension.

POSITIVE   **NEUTRE**   **NÉGATIVE**

VAINCRE LA NERVOSITÉ

La nervosité que nous ressentons avant de parler en public ou de nous rendre à un entretien est tout à fait naturelle. Le système nerveux prépare notre esprit à l'action en incitant des glandes à pomper de l'adrénaline dans le sang, ce qui provoque notre nervosité. Servez-vous du langage du corps pour donner une impression d'assurance, même si ce n'est pas le cas, par un effort conscient pour sourire et détendre vos bras. Parlez et écoutez vos interlocuteurs en les regardant droit dans les yeux, tenez-vous droit, détendez-vous et ne triturez pas vos doigts.

DIFFÉRENCES CULTURELLES

Les Britanniques et les Américains ont tendance à maintenir plus de distance avec leurs interlocuteurs que les autres nationalités et sont plus sujets à se reculer s'ils ont l'impression qu'on empiète sur leur territoire. Les gens de la campagne ont également l'habitude de maintenir une plus grande distance que ceux de la ville.

7 Si vous vous sentez nerveux, respirez à fond et lentement pour vous détendre.

GARDER SES DISTANCES

Maintenir une certaine distance avec ses interlocuteurs est également un langage du corps, et cette distance varie selon les situations. Par exemple, les hôtes d'une soirée mondaine se tiennent plus proches les uns des autres que des étrangers réunis pour une autre occasion. Une réaction agressive peut révéler que vous empiétez sur l'espace vital de votre interlocuteur.

FAIRE BONNE IMPRESSION

La première impression est cruciale. On s'accorde à penser que les cinq premières secondes d'une première rencontre sont plus importantes que les cinq minutes qui suivent. Le moindre détail peut donc avoir de grandes répercussions. Soignez votre coiffure et votre tenue en restant classique. Même lorsqu'une tenue décontractée est de mise, vos vêtements et vos chaussures doivent être impeccables. Avant d'assister à une réunion, vérifiez dans un miroir que vous êtes convenablement coiffé.

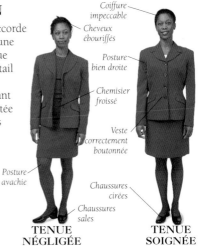

Coiffure impeccable

Cheveux ébouriffés

Posture bien droite

Chemisier froissé

Veste correctement boutonnée

Posture avachie

Chaussures cirées

Chaussures sales

TENUE NÉGLIGÉE

TENUE SOIGNÉE

DONNER ▶ UNE BONNE IMPRESSION
La tenue vestimentaire et la posture créent une impression. Cette femme semble bien plus assurée et compétente lorsqu'elle a pris la peine de soigner sa tenue.

COMPRENDRE ET
UTILISER LES GESTES

À *l'instar d'autres moyens non verbaux de communication, tels que les attitudes et les expressions de visage, les gestes sont un élément important du langage du corps. Apprendre à user de gestes pour obtenir un effet particulier, vous aidera à faire passer votre message.*

8 Avant d'aller à l'étranger, renseignez-vous sur les habitudes locales.

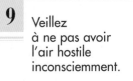

9 Veillez à ne pas avoir l'air hostile inconsciemment.

DIFFÉRENCES CULTURELLES

Le langage silencieux des gestes varie selon les pays. Le pouce levé qui signifie OK en Amérique du Nord est insultant pour un Danois ; pointer du doigt est impoli en Chine ; l'enthousiasme des Français pour les poignées de main paraît excessif aux Britanniques ; secouer la tête de droite à gauche veux dire « non » chez nous et « oui » en Inde, et se donner l'accolade en public est inadmissible à Singapour.

RECONNAÎTRE LES GESTES

Toute personne habituée à parler en public se sert de gestes pour souligner ses propos. Des mimiques comme frapper la paume de sa main avec son poing, pointer du doigt ou tendre les mains ouvertes, paumes vers le ciel, donnent de la force à vos propos. Mais des gestes trop péremptoires, tels que taper du poing sur la table ou autre signe de colère, risquent de vous créer des ennemis. De plus, si vous tapez sur la table, le bruit risque de couvrir votre voix. La combinaison de gestes simples peut former des scénarios complexes. Ainsi, lors d'un entretien privé, vous saurez qu'un collègue est en train de vous évaluer tout en vous écoutant s'il place ses doigts sur sa joue ou sur son menton. Néanmoins, pour déterminer si l'évaluation est positive ou négative, vous devrez tenir compte d'autres signes, tels que les jambes croisées en signe de défensive ou la tête et le menton baissés en signe d'agressivité.

10 Testez une série de gestes devant un miroir pour déterminer ceux qui paraissent naturels pour vous.

ÉMETTRE DES SIGNAUX AVEC LE CORPS

Les gestes de soutien, tels que le contact du regard et les signes de tête d'acquiescement lorsqu'on écoute quelqu'un, créent un climat d'empathie. Chacun peut contrôler son langage du corps, mais pas totalement. Choisissez vos mots soigneusement et le plus honnêtement possible, sinon votre langage du corps risque de vous trahir.

Le geste de la main souligne les propos.

La main sur le menton est un signe acquiescement.

Les sourcils levés sont un signe d'intérêt..

▲ APPROUVER L'ORATEUR
Cette personne montre qu'elle approuve l'orateur en inclinant légèrement la tête et en regardant l'orateur droit dans les yeux.

▲ ÊTRE ATTENTIF
Le contact direct du regard et le corps penché vers l'avant sont des signes d'intérêt et de volonté à soutenir l'orateur.

▲ SOULIGNER UN POINT
Un geste énergique de la main permet de souligner un point.

Le regard de biais confirme l'incertitude.

Le bras enroulé autour du corps est une façon de se réconforter.

Les sourcils froncés et les yeux clos sont des signes de doute.

▲ MONTRER DE L'INCERTITUDE
Mâchouiller son crayon est un retour au stade buccal de l'enfance. C'est un signe de peur et de manque de confiance.

▲ BESOIN D'ÊTRE RASSURÉ
Une main autour du cou et l'autre autour de la taille indiquent le besoin d'être rassuré.

▲ ÊTRE EN DÉSACCORD
Les yeux fermés et les doigts qui pincent le nez indiquent que cette femme est troublée et n'approuve pas ce qu'elle entend.

APPRENDRE À ÉCOUTER

Le principe bidirectionnel de la communication (qui vise à une compréhension mutuelle) est souvent négligé. Il est fondamental de connaître les techniques de l'écoute car la façon d'écouter transmet des informations et contribue au succès d'un échange.

11 Déterminez les questions qui amèneront les réponses dont vous avez besoin.

SE MONTRER ATTENTIF

12 N'ayez pas peur de garder le silence pour encourager les plus hésitants à s'exprimer.

Lorsque vous souhaitez obtenir des informations, trouver un consensus ou établir des relations de travail, votre succès est directement proportionnel à la qualité de votre écoute. Si vous prenez la parole pour susciter une réponse, montrez que vous n'avez pas l'intention de dominer la discussion. Posez des questions ouvertes favorables au dialogue et répondez brièvement.

DÉVELOPPER SES CAPACITÉS D'ÉCOUTE

TYPE D'ÉCOUTE	MISE EN PRATIQUE
EMPATHIE Encourager l'autre à s'exprimer et obtenir des informations en adoptant une attitude de soutien et d'aide.	Mettez-vous à la place de votre interlocuteur, essayez de déterminer ce qu'il pense et mettez-le à l'aise, au besoin en réveillant son émotionnel. Soyez très attentif aux propos de votre interlocuteur, parlez peu et encouragez-le régulièrement d'un mot ou d'un hochement de tête.
ANALYSE Chercher des informations concrètes et essayer de connaître des faits et des opinions.	Posez des questions analytiques afin de découvrir ce que cache les propos de votre interlocuteur. Posez prudemment des questions pour trouver dans ses réponses des indices qui vous permettent de lancer la série de questions suivante.
SYNTHÈSE Orienter volontairement l'échange vers une voie tracée.	Si vous avez un but à atteindre, formulez vos arguments pour que vos interlocuteurs y répondent par des idées. Écoutez les remarques et répondez de manière à suggérer des idées à développer et des méthodes pour le faire. Puis posez une autre question qui propose une alternative.

POINTS À RETENIR

- Une écoute attentive inspire confiance.
- Vous devez, *a priori*, croire ce que l'on vous dit, sauf preuve du contraire.
- La plupart des malentendus viennent d'une écoute faussée (où l'on n'entend que ce que l'on veut).
- Des interruptions constantes perturbent certaines personnes, notamment celles qui ont du mal à exprimer leur point de vue.

INTERPRÉTER UN DIALOGUE

Croyez vos interlocuteurs, n'imaginez pas que leurs propos cachent quelque chose. Pour vérifier que vous les avez bien compris, reformulez leurs propos. Cette habitude garantit la compréhension mutuelle et donne à vos interlocuteurs la possibilité de rectifier ou de clarifier certains points. Toutefois, restez attentif aux signes du langage du corps (un regard qui fuit) et aux signes verbaux (une hésitation ou une contradiction), qui sont des indices de la véracité des propos tenus. Faites attention à ne pas entendre que ce qui vous arrange.

UTILISER LA PROGRAMMATION NEUROLINGUISTIQUE (PNL)

La programmation neurolinguistique part du principe que nos mots trahissent nos pensées. Les modes de pensée sont classés par types de phrase. Les phrases du registre visuel, telle « Je vois ce qui vous a amené à cette conclusion », et celles du registre auditif, telle « Ces propos font résonner une problématique », sont deux types de phrase distincts. Si vous écoutez attentivement, vous pouvez appliquer l'effet miroir à votre interlocuteur, c'est-à-dire lui répondre dans son registre (visuel, auditif, etc.), afin d'établir une relation avec lui. Outre l'écoute attentive et l'effet miroir des pensées de votre interlocuteur, vous pouvez appliquer l'effet miroir à ses postures. Adopter la même posture que son interlocuteur et imiter ses gestes permet de créer une empathie.

Regard direct

Sourire discret

Mains détendues

Position attentive

▲ **ÉCOUTER ET FAIRE MIROIR**
Vous pouvez employer des techniques de la PNL pour réduire les tensions de certaines situations. Par exemple, lorsque vous êtes en total désaccord avec votre interlocuteur, écoutez-le, puis répondez avec les mêmes images et dans le même registre de langue. Si sa posture montre qu'il est sur la défensive, prenez discrètement la même, puis relâchez-la peu à peu (comme illustrée ci-dessus) pour l'amener à vous imiter et donc à se détendre.

DÉTECTER LES PRÉJUGÉS

Si vous ne voyez ou n'entendez que ce qui vous arrange, vous manquez certainement de souplesse d'esprit. Ce défaut n'est pas rare et beaucoup se laissent inconsciemment influencer par des stéréotypes. Il arrive aussi fréquemment que nous adhérions aux idées des autres sans même réfléchir. Les préjugés sont un obstacle à la communication. Si vous arrivez à détecter vos préjugés, vous aurez une meilleure écoute.

13 Pensez à ce que vous entendez et non à la personne qui parle.

VAINCRE SES PRÉJUGÉS

Il est difficile de se défaire de ses préjugés car ils sont profondément enracinés et n'ont rien à voir avec l'attitude ou la personnalité des gens que nous rencontrons. Le travers le plus courant consiste à savoir à l'avance ce que l'autre va dire au lieu d'écouter ce qu'il dit vraiment. Mais les gens ne se comportent pas toujours selon des stéréotypes ou comme nous le pressentons. Écoutez attentivement ce qu'on vous dit et ne laissez pas vos préjugés vous influencer.

**ÉVITER ▼
LE FAVORITISME**

Dans cet exemple, un responsable demande à trois de ses subordonnés leur opinion sur une nouvelle stratégie. Il a des préjugés les concernant. Il doit donc surmonter ses préjugés et écouter ses interlocuteurs sans interpréter leurs propos pour que cette réunion soit pleinement fructueuse.

Le responsable a des idées préconçues.

Il n'apprécie pas le col de chemise ouvert de cet homme.

L'assurance de cette femme le met sur la défensive.

Cet homme, dont la tenue vestimentaire est dans le même ton que la sienne a ses faveurs.

VÉRIFIER QUE LE MESSAGE EST COMPRIS

Si vous doutez d'avoir été bien compris ou d'avoir bien compris un message, formulez une phrase du type de celles ci-dessous. Il est de votre responsabilité de trouver ce que vous devez savoir et d'écouter les réponses qui vous sont faites.

Je crains de ne pas avoir bien compris ce que vous venez de dire. Pourriez-vous répéter, s'il vous plaît ?

J'ai bien conscience que cela n'est pas de votre ressort, mais j'aimerais avoir votre avis sur la question.

Je n'ai pas été très clair. En fait, j'aimerais montrer que…

RÉPONDRE À QUELQU'UN

14 Gardez l'esprit ouvert vis-à-vis de ce que vous entendez.

Avant de répondre, vous devez bien écouter ce que l'on vous dit. Si vous préparez votre réponse ou pensez à ce que vous allez dire, vous n'êtes pas totalement à l'écoute de l'autre. Dans votre réponse, reformulez les propos entendus. Si vous avez besoin qu'on vous les répète, qu'on vous donne une explication ou des informations complémentaires, n'hésitez pas à le demander.

Écouter ▸ Répondre ▸ Agir

RÉAGIR AUX MESSAGES PERÇUS

Dans certains cas, la communication est une fin en soi (un compte rendu d'avancement, par exemple). Dans d'autres, elle implique d'agir pour sortir d'une impasse, par exemple). Auquel cas, ne promettez jamais d'agir sans tenir votre promesse. Cela ne ferait que véhiculer l'idée que vous n'êtes pas réellement à l'écoute de votre personnel et que votre communication est fondée sur des bases fausses. Vous risquez alors de véhiculer un message préjudiciable.

▲ **ÉCOUTER D'ABORD**
Les trois étapes d'une communication réussie sont : l'écoute attentive, la réponse (accompagnée, au besoin, d'une demande d'éclaircissements) et enfin l'action.

15 Couchez au plus vite les promesses par écrit pour éviter tout malentendu.

Poser des Questions

Votre aptitude à bien interroger pose les bases d'une bonne communication. Quoi, pourquoi, comment et quand sont des mots très puissants à utilisez souvent pour rechercher en vous-même ou auprès des autres les réponses à vos questions.

16 Pour obtenir une réponse précise, posez une question précise.

17 Posez des questions ouvertes, pour obtenir des informations détaillées.

Savoir Interroger

Les bonnes questions ouvrent la voie de la connaissance et de la compréhension. L'art du questionnement consiste à savoir quelles questions poser et quand. La question s'adresse à vous : si un bouton magique vous donnait accès à toutes les informations, qu'aimeriez-vous savoir ? La réponse à cette question vous aidera à formuler les bonnes questions. Si vous organisez une réunion, préparez la liste des réponses dont vous avez besoin, puis cochez les réponses à mesure que vous les obtenez. Si les propos tenus suscitent de nouvelles questions, notez-les et posez-les plus tard.

Choisir des Questions

Lorsque vous préparez à l'avance une liste de questions, déterminez toujours le type de questions qui servira le mieux vos objectifs. Voulez-vous lancer un débat, obtenir des informations précises, atteindre un but spécifique ou faire passer un ordre sous une question ? Néanmoins, n'oubliez pas que les questions préparées à l'avance suffisent rarement, car les réponses obtenues peuvent être incomplètes ou soulever une série de questions dans un tout autre registre. Posez des questions jusqu'à obtenir les réponses nécessaires. Dans les réponses à des questions préparées à l'avance, recherchez des indices de la nécessité d'une nouvelle série de questions.

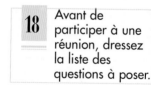

18 Avant de participer à une réunion, dressez la liste des questions à poser.

19 N'hésitez pas à marquer une pause pour réfléchir à votre prochaine question.

POSER DES QUESTIONS EN FONCTION DES ATTENTES

TYPES DE QUESTION	RÉPONSES
OUVERTE Question qui n'incite pas à une réponse particulière mais ouvre à discussion.	Q Que pensez-vous de l'ouverture d'un self pour tous les employés de l'entreprise ? R Je pense que c'est une bonne idée pour plusieurs raisons.
FERMÉE Question spécifique n'acceptant pour seule réponse que oui ou non, ou une information précise.	Q Avez-vous déjà lu le journal ou la lettre d'information de l'entreprise ? R Non.
INFORMATION Question visant à obtenir des informations sur un sujet particulier.	Q Quel est le pourcentage de salariés ayant répondu à l'enquête de comportement ? R Sur 2 000 questionnaires, nous avons reçu 1 400 réponses, soit 70 %.
RAPPEL Question visant à obtenir des informations complémentaires ou à cerner une opinion.	Q Est-ce un bon taux de réponses comparé à la dernière enquête ? R Deux tiers de réponses est une bonne moyenne qui laisse supposer que le moral est relativement bon.
RETOUR Question visant à obtenir un type spécifique d'information.	Q Pensez-vous que la communication au sein de l'entreprise s'est améliorée ? R Oui. J'apprécie de pouvoir dialoguer avec mon responsable lors des réunions mises en place.

TROUVER LE BON TON

Le ton de voix est une composante du processus de communication (par exemple, un ton sévère peut véhiculer de la colère et une voix douce de la sympathie). Vous devez apprendre à contrôler le ton de votre voix car une erreur de ton risque de vous valoir des réponses à l'opposé du but recherché. Enregistrez-vous au magnétophone et écoutez votre voix. Y décelez-vous une brusquerie involontaire ? Trop de condescendance ? Exercez-vous pour parler sur le ton adéquat. Avec un ton optimiste et assuré vous arriverez, dans la plupart des cas, à obtenir l'approbation des autres.

20 Exprimez-vous le plus naturellement possible pour créer une ambiance chaleureuse.

SAVOIR LIRE

Plus vous lisez, en comprenant, et mieux vous êtes informé. Plusieurs techniques très simples permettent de lire plus vite et plus efficacement. La concentration est la base de toutes ces techniques de lecture rapide et d'une meilleure compréhension.

21 Renforcez votre capacité de mémorisation par le biais d'associations d'idées.

LIRE DE MANIÈRE EFFICACE

Deux méthodes sont préconisées pour lire avec une parfaite compréhension : lire plus lentement lire normalement puis revenir sur chaque passage. Mais aucune de ces méthodes n'est réellement efficace. En effet, lire lentement n'améliore pas la compréhension et la double lecture réduit de moitié la rapidité de lecture en n'améliorant que d 3 à 7 % la compréhension. Supprimez le retour e arrière et votre rapidité de lecture passera de 250 300 mots par minute (mpm) à 450 à 500 mpm sans nuire à la compréhension.

22 Veillez à lire dans de bonnes conditions, notamment d'éclairage.

APPRENDRE À PARCOURIR UN DOCUMENT

Si vous savez parcourir un document, vous réduirez vos temps de lecture. Lorsque vous lisez normalement, vos yeux passent rapidement d'un groupe de mots à un autre avec un très bref arrêt sur chaque groupe. Pour lire plus vite, il suffit d'élargir le groupe et de passer plus vite d'un groupe à un autre. Avant de lire un document, consultez le sommaire, l'introduction, la conclusion et l'index, pour déterminer les passages à lire impérativement.

Le confort favorise la concentratio

Le livre est posé à plat sur le bure

LIRE PLUS VITE ▶

Pour vous exercer, lisez par tranches de 20 minutes d'affilée. Évitez toute distraction et installez-vous confortablement. Tenez-vous bien droit et posez votre document à plat sous une source de lumière.

Développer ses Capacités de Mémorisation

La lecture d'un document d'environ 100 000 mots demande à peu près 7 heures. Avec les méthodes de lecture rapide, qui augmentent votre vitesse de lecture de plus de 80 %, sans nuire à votre compréhension, vous réduirez ce temps de moitié. Mais cela n'a aucun intérêt si vous oubliez aussi vite ce que vous avez lu ; vous devez donc développer vos capacités de mémorisation. Notre capacité de mémorisation est à son maximum au bout de quelques minutes, et 24 heures suffisent pour oublier 80 % des informations reçues. Le mieux consiste à étudier par tranches d'une heure, à faire une pause d'environ un dixième du temps d'étude (soit 6 minutes), à revoir ce qui a été étudié puis à faire une pause de dix fois le temps d'étude (soit ici 10 heures) avant de revenir sur les choses apprises.

Points à Retenir

- En général, on surestime ses capacités de compréhension.
- Un coup d'œil sur les illustrations permet de mémoriser un grand nombre d'informations.
- La lecture rapide s'apprend en suivant des cours ou avec des ouvrages sur le sujet.
- Balayez les pages de haut en bas par le milieu, ou en diagonale.
- Consultez le sommaire, l'introduction, la conclusion, afin de déterminer les passages à lire.
- Modifiez vos méthodes d'apprentissage et faites régulièrement le point de vos connaissances.

Testez votre Compréhension

Les paragraphes intitulés « Savoir lire » « Lire de manière efficace » et « Développer ses capacités de mémorisation » regroupent environ 300 mots. Pour vérifier ce que vous en avez retenu, relisez-les (une minute devrait suffire), puis répondez aux questions ci-après.

QUESTIONS :

1. Qu'est-ce que la double lecture ?
2. Dans quelle proportion la double lecture améliore-t-elle la compréhension ?
3. Quelle est la vitesse moyenne de lecture ?
4. Quel est le but d'un cours de lecture rapide ?
5. Quelle est la vitesse moyenne de lecture rapide ?
6. Quel est le gain essentiel de la double lecture ?
7. Quel pourcentage d'informations mémorisées oubliez-vous en 24 heures ?
8. Combien de mots contient un document relativement long ?
9. Combien de temps faut-il pour parcourir un document relativement long ?
10. Quand la capacité de mémorisation est-elle à son maximum ?

RÉPONSES : 1. Relire le passage qui vient d'être lu. 2. Environ 3 à 7 %. 3. Entre 250 et 300 mots par minute. 4. Augmenter la vitesse de lecture de plus de 80 % sans nuire à la compréhension. 5. Entre 450 et 500 mots par minute. 6. Lire chaque paragraphe deux fois réduit presque de moitié la vitesse de lecture. 7. 80 %. 8. Environ 100 000 mots. 9. Environ 7 heures. 10. Au bout de quelques minutes.

PRENDRE DES NOTES

Si vous maîtrisez l'art des notes ou des résumés, inutile de miser uniquement sur votre mémoire. Il existe plusieurs méthodes pour prendre des notes ; essayez-les et choisissez celle qui vous convient le mieux.

23 Relisez vos notes tant que la globalité des propos est encore fraîche dans votre esprit.

24 Marquez des passages dans ce que vous lisez, puis rédigez vos notes.

PRENDRE DES NOTES LINÉAIRES

Lorsque vous prenez des notes sur une intervention orale, n'essayez pas de noter dans l'ordre l'intégralité des propos ; vous n'arriveriez pas à suivre. Écoutez, puis notez l'essentiel dans votre propre formulation. Accompagnez vos note d'une brève explication et mettez des titres et des numéros pour les structurer.

UTILISER L'ÉCRITURE RAPIDE

Vous pouvez apprendre seul à doubler votre rapidité d'écriture. La règle consiste à omettre toutes les voyelles sauf en début de mot, à écrire les nombres en chiffres et à utiliser des abréviations standards. Servez-vous d'abréviations spéciales pour des mots courants ou des portions de mots, telles que tt pour « tout », Σ pour « appartient », $\neq$ pour « différent de », > et < pour « plus grand que » et « plus petit que » etc.

PRENDRE DES NOTES ▶
EN ÉCRITURE RAPIDE
Structurez vos notes en courts paragraphes, puis parcourez-les rapidement pour vérifier qu'elles ont du sens.

Le mot est évident dans ce contexte ; il s'agit de « bien » et non de « bon ».

L'écrtr rpd s'applq auss bn à l pris d nts manell q'à cll sr ordntr ou mchn à écrr, si tl est vtr outl fav.

L'écrtr rpd est un syst. smpl & prtque où l'omiθ des voyelles ne nuit ps à l cmprhenθ ds mts.

Mm lrsq vs maîtrisez bn l'écrtr rpd, il est pssbl q vs prfrz écrr intgrlmnt crtns mts diffcls ou peu ustés q, une fois condenss, prrnt êtr cnfnds avc 1 ou 2 atrs mtsll.

Les mots très courts te que « ou » s'écrivent en entier.

L'omission des voyelles ne nuit pas à la reconnaissance des mots.

Les mots difficiles à abréger ou qui pourraient être ardus à déchiffrer sont écrits en toutes lettres.

UTILISER DES MIND-MAPS

Le Mind-Mapping® est une technique de structuration de la pensée sous forme d'arborescence. Inscrivez un mot clé ou une phrase, ou faites un dessin, au centre d'une feuille. Il représente le sujet à développer. Notez ensuite toutes les idées qu'il vous inspire, puis tracez des lignes pour les relier au sujet central. Notez les autres idées, inscrivez-les et reliez-les aux idées appropriées pour créer des branches secondaires. Vous pouvez également les relier entre elles. Servez-vous de couleurs et de dessins.

25 Servez-vous de couleurs et de dessins pour transformer votre Mind-Map en œuvre d'art.

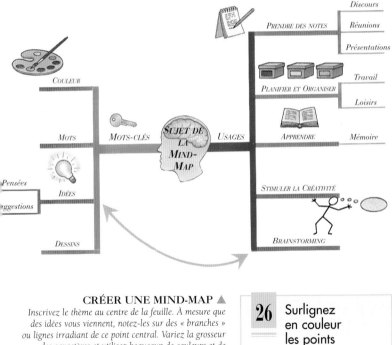

CRÉER UNE MIND-MAP ▲

Inscrivez le thème au centre de la feuille. À mesure que des idées vous viennent, notez-les sur des « branches » ou lignes irradiant de ce point central. Variez la grosseur des caractères et utilisez beaucoup de couleurs et de dessins, qui facilitent tous deux la mémorisation. Reliez par des traits les idées apparentées.

26 Surlignez en couleur les points importants.

ÉCHANGER DES INFORMATIONS

En face à face comme au téléphone ou par écrit, la qualité des échanges va de la guerre ouverte à l'accord parfait. Quelle que soit la situation, choisissez la méthode de communicatio la plus propice pour atteindre votre but.

PRENDRE CONTACT

Le succès d'une rencontre n'est jamais garanti. Vos propos et votre comportement jouent beaucoup sur l'attitude de vos interlocuteurs, aussi ayez des mots de bienvenue pour démarrer l'entretien sur une note positive.

 27 Levez-vous pour accueillir vos visiteurs ou leur dire au revoir ; il est impoli de rester assis.

POINTS À RETENIR

- La prise de contact doit toujours être aussi accueillante que possible.
- Tous les participants d'une réunion doivent être présentés les uns aux autres dès le début.
- Il est préférable de terminer une réunion dans la courtoisie même après des désaccords manifestes.
- Lorsque vous voyagez, tenez compte des différences culturelles et de comportement (vérifiez, par exemple, si la poignée de main est de coutume dans le pays).

ACCUEILLIR SES VISITEURS

Les mots que vous employez pour accueillir quelqu'un dépendent de vos relations. Dans une relation d'égal à égal, vous l'accueillerez très certainement en l'appelant par son prénom et par une formule amicale. Dans le cas d'une première rencontre, la formule d'accueil faisant office de présentation, vous devez préciser votre nom, suivi d'une petite phrase qui traduit poliment votre enthousiasme (« C'est un plaisir de vous rencontrer »). Même si les risques d'hostilité ne sont pas à exclure, il est toujours préférable de démarrer sur un ton courtois.

LES CONTACTS PHYSIQUES

orsque vous recevez une personne que vous
nnaissez bien, vous ne lui serrez pas
oligatoirement la main, bien que ce soit l'usage.
ais lors d'une première rencontre, n'oubliez
s d'accueillir la personne avec une poignée de
ain bien ferme. Attention aux poignées de main
olles qui donnent une impression de faiblesse.
nez compte des spécificités culturelles relatives
x relations entre hommes et femmes.
ans certains pays, tout contact physique entre
mmes et femmes est à proscrire.
ites également attention à votre attitude :
ez-vous pour recevoir vos visiteurs et tenez-
us bien droit.

DIFFÉRENCES CULTURELLES

Les Espagnols, les Italiens,
les Français et les Sud-
Américains s'étreignent parfois
pour se saluer. En revanche, les
Japonais s'inclinent à distance
et se serrent éventuellement
la main s'ils se connaissent
bien. Comme les Chinois,
ils se présentent en tendant
leur carte de visite.

*Placez-vous face
à votre interlocuteur
et regardez-le droit
dans les yeux.*

*Serrez le bras
avec l'autre
main pour
donner plus
de chaleur
au geste.*

*Levez-vous
pour prendre congé.*

PRENDRE CONGÉ

Lorsqu'un accord a été trouvé ou qu'une réunion
fructueuse se termine, ne manquez pas de
souligner ce succès avec le langage du corps.
Si c'est vous qui recevez, remerciez les
participants pour leur collaboration et
raccompagnez-les jusqu'à la sortie du
bâtiment, et pas uniquement à la porte
de la salle. Au moment de les quitter,
échangez une poignée de main
éventuellement plus chaleureuse et
soutenue qu'à leur arrivée. En fait,
traitez-les comme s'ils vous avaient invité.
Le même cérémonial s'applique aux
participants d'une réunion ; s'ils sont sur
votre territoire, la courtoisie est de rigueur.
Si la réunion a été houleuse, restez courtois
et poli, et n'ironisez pas sur l'échec
de la rencontre.

◀ PRENDRE CONGÉ CHALEUREUSEMENT
*On est souvent plus chaleureux au moment de
prendre congé d'une personne qu'au moment
de l'accueillir, surtout si la rencontre a été
fructueuse. Dans certains pays, les gens sont plus
enclins aux contacts physiques, par exemple, serrer
la main en tenant le bras de l'autre main.*

TRANSMETTRE DES INFORMATIONS

Les responsables d'entreprise passent énormément de temps à transmettre et à recevoir des messages. Cette facette de la communication est sans doute la plus importante (et gratifiante). Honnêteté et feed-back sont de rigueur pour une transparence et une évolution réelles.

28 Lors d'un feed-back positif, justifiez vos louanges.

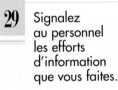

29 Signalez au personnel les efforts d'information que vous faites.

TROUVER DES INFORMATION

Dans toute entreprise, le besoin d'information d personnel et la capacité de ses responsables à répondre de manière adéquate à ce besoin sont vitaux. Déterminez d'abord dans quels domaines le personnel est le plus demandeur d'informations. Sécurité dans le travail, condition de travail, rémunération, localisation et avantage sociaux sont des points cruciaux sur lesquels tout changement doit être communiqué le plus rapidement possible.

ÊTRE COMPRIS

Il n'est pas rare qu'un message soit mal compris. C'est le cas si vous ne savez pas exactement ce que vous voulez dire, si votre formulation est trop vague bien que vos objectifs soient clairs, ou encore si votre langage du corps contredit totalement vos propos. C'est également le cas si votre interlocuteur est persuadé de connaître déjà votre message, s'il ne vous écoute pas et ne tient pas compte de ce que vous essayez réellement de lui communiquer.
La meilleure solution pour éviter les malentendus consiste à prévoir une répétition devant un auditoire fictif capable d'une critique objective. Vous pouvez aussi demander à vos interlocuteurs de répéter votre message et de vous aider de leurs commentaires pour éclaircir tout malentendu. Renforcez vos propos en adoptant un langage du corps positif.

30 Lorsque vous vous demandez si vous devez ou non transmettre une information, faites-le.

DONNER UN FEED-BACK

Le feed-back est essentiel à la communication,
à la fois pour vérifier que vous avez bien compris
votre interlocuteur et pour réagir à leurs propos
ou leurs actions. Il est parfois difficile de donner
un feed-back négatif, mais ne pas le faire est une
erreur. Si vous le faites, évitez toute marque
d'hostilité en respectant ces quelques règles très
simples :
- Montrez que vous comprenez exactement
ce qui n'a pas fonctionné et pourquoi ;
- Proposez des solutions pour améliorer des
performances ou corriger un comportement
inadapté ;
- Faites savoir à votre collaborateur
ce que vous pensez et pourquoi
vous le pensez par le biais de
questions et non d'affirmations ;
- Exprimez honnêtement vos
opinions négatives mais d'une
manière positive ;
- Avant tout, maintenez le feed-
back hors du plan émotionnel
en restant objectif et dégagé
de tout préjugé.

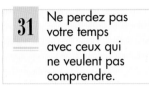

31 Ne perdez pas votre temps avec ceux qui ne veulent pas comprendre.

▼ FAIRE FACE
AUX CONFLITS
Ne vous laissez pas décontenancer par un langage du corps négatif. Tenez vous assis bien droit, fixez votre interlocuteur dans les yeux sans agressivité et délivrez clairement votre message.

Se pencher en avant donne de la force à une remarque.

Attitude agressive

Bras croisés sur la défensive

Les mains ouvertes renforcent le propos.

RÉAGIR HONNÊTEMENT

Vous devez réagir honnêtement aux propos et aux actes de vos collaborateurs. Justifiez
un feed-back positif, et questionnez au lieu d'affirmer en cas de feed-back négatif.
Voici quelques exemples de formulation :

❝ *J'ai beaucoup apprécié votre souci d'étayer
votre argumentation à l'aide de faits pertinents, d'informations
sur la concurrence et de chiffres récents.* ❞

❝ *Vous êtes la personne idéale
pour ce poste car…* ❞

❝ *Vous admettrez que ce rapport
n'est pas satisfaisant.* ❞

UTILISER LE TÉLÉPHONE

Le téléphone est un outil particulièrement puissant puisqu'il permet à des personnes éloignées, de prendre contact en un clin d'œil. Servez-vous-en pour provoquer des occasions quasi impossibles autrement.

32 Placez une pendule sur votre bureau pour surveiller la durée de vos appels.

AMÉLIORER SA TECHNIQUE

La plupart des gens sont convaincus de leur efficacité au téléphone. Mais un peu de savoir-faire et de pratique leur permettra de s'améliorer. Les télévendeurs sont des experts en la matière. Leurs principaux trucs sont les suivants :

● Préparer par écrit la liste des points à couvrir et l'ordre à respecter ;
● Parler lentement et accorder son rythme d'élocution sur celui de son interlocuteur ;
● Rester toujours poli et amical ;
● Sourire. Un sourire transparaît dans le ton de la voix et invite à une réponse positive.

33 Pour plus d'efficacité, servez-vous de dispositifs tel le « signal d'appel ».

Souriez. Votre voix sera plus assurée, chaleureuse et amicale.

Suivez un script pour ne pas vous éloigner de votre sujet.

Surveillez la durée de vos appels pour ne pas être trop long.

◀ LIRE UN SCRIPT PRÉPARÉ À L'AVANCE
Lors d'un appel important, vous risquez de vous éloigner de l'objet de votre appel. Établissez alors la liste des points à aborder puis cochez-les au fur et à mesure. En prévision d'une discussion difficile, notez quelques phrases clés avant de décrocher le combiné.

34 Si vous dites que vous rappellerez, faites-le.

LAISSER UN MESSAGE

Si vous disposez d'un répondeur ou d'une boîte vocale, n'oubliez pas d'écouter rapidement vos messages (dans les 24 heures au maximum). Lorsque vous laissez un message sur un répondeur, indiquez votre nom, le numéro auquel on peut vous joindre et le jour et l'heure de votre appel. Parlez lentement et distinctement. Veillez à ce que l'annonce de votre répondeur soit brève et professionnelle, et modifiez-la pour préciser l'heure à laquelle on peut vous joindre ou la personne à contacter en votre absence.

POINTS À RETENIR

● Précisez plusieurs fois l'objet de votre appel.
● Sur un répondeur ou une boîte vocale, ne laissez pas de message trop long.
● Une conversation téléphonique est plus facile à contrôler qu'un entretien en face à face car l'échange peut rester professionnel et laconique.

35 Sur un répondeur, répétez bien vos nom et numéro.

DIRIGER DES TÉLÉVENDEURS

La vente par téléphone est un domaine spécialisé de la communication. Si vous êtes responsable d'une équipe de télévendeurs, assurez-vous qu'ils respectent les règles d'or suivantes :
● Travailler avec un script ;
● Ne pas marquer de silence ni s'interrompre une fois que le message est lancé ;
● User largement du « s'il vous plaît » et du « merci » ;
● Placer un miroir sur leur bureau pour s'assurer qu'ils sourient ;
● Proscrire au maximum le « Je ».

TROUVER LE BON CONTACT

Vous ne pourrez pas communiquer efficacement si vous ne savez pas qui contacter. Recherchez soigneusement la personne appropriée puis, même si vous ne la connaissez pas du tout (et qu'elle occupe un poste important), prenez un ton assuré lorsque vous lui téléphonez et présentez-vous en disant « Untel au téléphone » (jamais « Mon nom est Untel »). Si la personne que vous souhaitez contacter est « en réunion », demandez quand elle sera disponible et dites à quel moment vous rappellerez. Lorsque vous rappelez, précisez que votre appel est attendu.
Une fois la personne souhaitée au bout du fil, ne raccrochez pas avant d'avoir transmis votre message, si possible plusieurs fois. Comme pour tout échange verbal, vérifiez que votre interlocuteur vous a bien compris et ne raccrochez pas avant d'avoir remercié chaleureusement la personne de vous avoir consacré un moment de son temps.

 36 Selon les circonstances, modifiez l'annonce de votre répondeur.

EXPLOITER LES TECHNOLOGIES INFORMATIQUES

L'informatique vous offre aujourd'hui un vaste choix d'outils de communication. L'ordinateur personnel, de bureau et portable, constitue un magnifique centre de messagerie permettant aux responsables d'entreprise de recevoir et de transmettre des informations au niveau mondial.

37 Prenez conseil auprès d'experts pour exploiter au mieux vos outils informatiques.

UTILISER LE TÉLÉCOPIEUR

Malgré l'apparition du courrier électronique, la télécopie (ou fax) reste un moyen pratique de gérer son temps qui permet de transmettre des documents et de recevoir une réponse bien plus rapidement que par la poste. Par exemple, si vous devez transmettre des informations à une personne qui vous monopolise lorsque vous lui téléphonez, le courrier électronique ou le télécopieur vous éviteront ce problème.

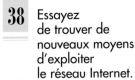

38 Essayez de trouver de nouveaux moyens d'exploiter le réseau Internet.

UTILISER LE COURRIER ÉLECTRONIQUE

Le courrier électronique allie rapidité, convivialité et polyvalence. Il s'affirme comme l'outil de prédilection des entreprises pour communiquer avec l'extérieur. Il est aussi très apprécié en interne pour informer le personnel avec un minimum de coût en papier. Les internautes doivent respecter les règles suivantes :

- Énoncer clairement l'objet du message ;
- Être aussi bref que possible ;
- Séparer courrier professionnel et courrier personnel ;
- Sélectionner soigneusement ses destinataires ;
- Éviter d'attacher des fichiers aux messages transmis simultanément à beaucoup de destinataires.

POINTS À RETENIR

- Les télécopieurs sont soit autonomes soit intégrés à un ordinateur.

- De nos jours, un responsable d'entreprise qui n'a ni portable ni portatif est sous-équipé.

- Le Web est le moyen de communication de l'avenir.

- Internet est un puissant outil de communication, qui permet de relier en temps réel tous les moyens de communication.

- Rentabiliser les communications est bénéfique à tous.

EXPLOITER LE RÉSEAU INTERNET

Internet révolutionne la communication au même titre que les réseaux Intranet (réseaux internes d'entreprise), les groupements de ressources et les Extranets (réseaux reliant fournisseurs et clients). Servez-vous des principaux sites Web du réseau Internet pour transmettre vos toutes dernières informations à vos clients comme à vos collaborateurs. Visitez aussi les sites Web d'autres entreprises pour trouver des informations sur la concurrence. Internet est un précieux outil de recherche et de dialogue interactif, qui permet également d'acheter et de vendre des produits.

▲ **PROFITER PLEINEMENT DES NOUVELLES TECHNOLOGIES**
Grâce aux nouvelles technologies de l'information le personnel accède très vite à une foule d'informations du monde entier.

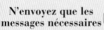

N'envoyez que les messages nécessaires	Soyez bref	Répondez sans attendre

CONTRÔLER LE FLUX ▲ DES INFORMATIONS
Pour préserver la rapidité et l'efficacité des communications par le biais d'outils électroniques, n'envoyez pas de messages inutiles. Veillez à ce que vos messages soient brefs et précis, et répondez au plus vite à ceux que vous recevez.

 39 Pour répondre rapidement, servez-vous des utilitaires de réponse intégrés.

ACCÉLÉRER LA COMMUNICATION

Pour accélérer la communication et le flux des informations et améliorer leur qualité le meilleur moyen est de contrôler leur volume. N'envoyez un message que s'il est absolument nécessaire et soyez bref. Vérifiez si certains des documents ou comptes rendus de routine peuvent être condensés, voire supprimés. Enfin, répondez sans tarder aux messages que vous recevez ; il est plus facile, rapide et efficace de répondre immédiatement et de conserver un bureau net.

RÉDIGER DES COURRIERS PROFESSIONNELS

Pour rédiger une lettre bien écrite, comprehénsible et qui ne s'écarte pas de son sujet, vous devez d'abord clarifier vos idées. Pour que vos lettres aient de l'impact, réfléchissez avant de les rédiger et soyez honnête.

40 Lorsque vous rédigez une lettre ou un rapport, pensez au destinataire.

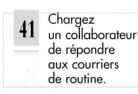

41 Chargez un collaborateur de répondre aux courriers de routine.

RÉDIGER UNE LETTRE PARFAITE

Faites un plan des points à aborder

Rédigez l'intégralité de votre lettre d'un seul trait

Relisez-vous

Corrigez en élaguant au maximum

Vérifiez l'orthographe et la ponctuation avant d'envoyer la lettre

ÉCRIRE DANS UN BUT PRÉCIS

Tous les courriers professionnels ont un objectif. Lorsque vous rédigez une lettre, la règle d'or est de s'assurer que cet objectif est parfaitement clair pour le lecteur. La seconde est de fournir au lecteur toutes les informations qui lui permettront de comprendre cet objectif. Ne soyez pas trop long ; l'idéal est de tenir sur une seule page. Pour vos courriers épineux, demandez les critiques d'un ami.

RÉDIGER UN TEXTE CLAIR

Une lettre claire et concise est rédigée en termes simples et colle à son objet. Préférez les mots et les phrases courts aux longs et la forme active à la forme passive. Évitez les doubles négations, le jargon technique et les formulations archaïques (telles « nonobstant » ou « par-devers »). Privilégiez un langage naturel ; en d'autres termes, écrivez comme vous vous exprimez et non comme vous pensez que l'on doit écrire. Ne corrigez qu'après avoir rédigé entièrement votre lettre, et n'hésitez pas à élaguer (c'est avec les corrections que vous donnerez du poids à la lettre).

42 Évitez les mots compliqués ou peu usités, ainsi que les termes abstraits qui risquent d'obscurcir vos propos.

STRUCTURER UNE LETTRE

Pour structurer une lettre professionnelle,
procédez comme pour une lettre personnelle :
- Attirez l'attention du lecteur en indiquant
  clairement l'objet de votre courrier, agrémenté,
  si possible, d'un trait d'humour.
- Suscitez l'intérêt du lecteur en éveillant sa
  curiosité.
- Éveillez l'envie du lecteur en donnant de
  l'attrait à votre proposition ou produit.
- Persuadez le lecteur de votre bonne foi en
  fournissant références et garanties.
- Incitez le lecteur à l'action en lui expliquant ce
  que vous attendez de lui.

43 Avant de rédiger une lettre, clarifiez vos idées (au besoin en prenant des notes).

◀ **LETTRE MAL RÉDIGÉE**
Cette lettre est imprécise. Elle manque de réflexion, est mal orthographiée, mal ponctuée et trop longue.

Cher(e) Monsieur/Madame,

J'ai appris que vous recherchiez une société capable de renouveler les équipements informatiques de tous vos services et, compte tenu de nos antécédents, vous pouvez nous accorder toute votre confiance.

Malgré une expérience restreinte de votre secteur d'activité, une personne habituée à travailler pour vous m'a assuré que nous saurions parfaitement répondre à vos besoins. J'aurai grand plaisir à vous rencontrer sauf, malheureusement, les lundis, mardis et vendredis après-midi car

L'expéditeur n'a pas pris la peine de se renseigner pour trouver le bon contact.

Le texte n'est pas clair.

La grammaire et l'orthographe laissent à désirer.

L'expéditeur donne des détails inutiles.

La lettre ne tient pas sur une seule page.

LETTRE ▶
BIEN RÉDIGÉE
Cette lettre est claire, optimiste et pertinente. Le rédacteur a fait l'effort d'être positif concernant les possibilités de relations commerciales avec la société.

S'en tient à une seule page.

Sait à qui adresser la lettre.

Donne une perspective d'avenir positive.

Suggère la prochaine étape.

Indique clairement l'objet du courrier.

Date du jour
Mme Martin
Société X
Adresse
Ville

Chère Madame Martin,

Suite à notre conversation téléphonique de la semaine dernière, j'ai le plaisir de vous offrir ci-joint notre dernier catalogue.

Vous m'avez confirmé que votre société envisage l'installation d'un nouveau logiciel, et je suis convaincu que nous sommes à même de répondre à vos attentes.

Avec l'espoir de vous rencontrer très prochainement, je reste à votre disposition pour tout complément d'information.

Cordialement,

Signature

Développer ses Compétences

Un communicant performant sait faire passer des messages écrits et oraux à un individu comme à un groupe en s'assurant d'une mutuelle compréhension.

Savoir Faire un Briefing

Le B.A. Ba de la communication est de savoir informer un individu ou un groupe du but, des moyens et de la portée d'une tâche qui lui est confiée. Apprenez à tenir un briefing efficace pour assurer votre succès.

44 Il est préférable de donner trop d'autonomie que pas assez.

Au cours d'un briefing, le contact direct du regard aide à capter l'attention.

▲ **DONNER DES INFORMATIONS**
Si vous donnez à un collègue ou à un client des instructions par écrit, commentez-les avec lui afin de les compléter ou de clarifier certains points et de vérifier que ces instructions sont parfaitement comprises.

Choisir son Type de Briefing

Il existe plusieurs types de briefing. Il peut s'agir de donner des instructions concernant une action à mettre en œuvre, ou de présenter un compte rendu de rapport. Si un client est impliqué, le briefing peut être à la fois un rapport d'événements et un plan d'action dans lequel vous détaillez vos propositions. Demandez un feed-back aux participants pour vérifier que vous avez fourni suffisamment d'informations.

45 Ne soyez pas trop dirigiste pour laisser à vos collaborateurs leur esprit d'initiative.

STRUCTURER UN BRIEFING

Un briefing écrit doit être clair et définir exactement ce qui doit être fait, quand et comment. Au besoin, précisez le budget alloué au projet ainsi que les échéances.

RÉSUMER UN BRIEFING PAR ÉCRIT

Lors d'un briefing oral, désignez une personne chargée de le résumer par écrit. Pour le faire :
● Indiquer l'objet du briefing en tête de page.
● Répertorier les ressources disponibles.
● Fixer un délai.
● Décrire la méthode préconisée.
● Si le briefing a pour objet d'élaborer un document, indiquer son destinataire.
Même si vous déléguez des tâches très simples, plus vous serez précis et plus vous limiterez les risques d'erreur.

BRIEFING

L'objectif est clairement défini.

● *Produire un questionnaire sur l'opinion du personnel concernant le self.*

● *Confier la saisie aux opératrices de l'entreprise et évaluer le coût des photocopies.*

Les ressources disponibles et le budget prévu sont indiqués

L'échéance est fixée.

● *Terminer le questionnaire pour vendredi après-midi.*

● *Avant de finaliser le questionnaire, interroger une personne de chaque service.*

L'action à entreprendre pour atteindre l'objectif est précisée.

Les destinataires sont spécifiés.

● *Soumettre le questionnaire à mon approbation, puis le distribuer aux responsables de service.*

DÉLÉGUER

La plupart des briefings impliquent de déléguer des responsabilités. Lorsque vous déléguez une tâche dont vous êtes responsable, vous transmettez le pouvoir et vous devez, par un briefing, définir les domaines de responsabilité de la personne à qui elle est confiée. Vous devez préciser dans quelle mesure vous souhaitez être informé et si vous comptez donner des instructions supplémentaires. Pour les projets à long terme, fixez des dates de compte rendu d'avancement.

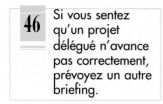

46 Si vous sentez qu'un projet délégué n'avance pas correctement, prévoyez un autre briefing.

COMMUNIQUER
EN TÊTE À TÊTE

Une réunion avec un collaborateur peut être formelle ou informelle. Veillez à organiser régulièrement des réunions en tête à tête pour évaluer les performances et vérifier si des directives ou des conseils sont nécessaires.

47 Demandez aux personnes conviées à une réunion en tête à tête de bien s'y préparer.

À FAIRE

1. Essayez de rencontrer vos collaborateurs seul à seul au moins une fois par mois.
2. Fixez un ordre du jour et respectez-le, et assurez-vous d'un accord mutuel sur les décisions prises.
3. Écoutez attentivement votre interlocuteur et veillez à ne pas dominer la discussion.

RÉUNION FORMELLE

Les réunions informelles n'obéissent pas à des règles strictes, mais les réunions formelles en tête à tête suivent celles de toute réunion. Vous devez aborder rapidement le sujet, respecter l'ordre du jour, résumer la discussion en fin de réunion et vous assurer que l'autre partie est d'accord avec ce résumé. Dans toute réunion en tête à tête entre un supérieur et un collaborateur, la relation a tendance à se positionner sur un plan domination/soumission. Pour que ce type de réunion soit productif, écoutez votre interlocuteur, essayez de discuter de manière rationnelle et restez courtois. Toutefois, rappelez-vous qu'un léger climat de confrontation est salutaire, et inévitable.

ÊTRE PRÉPARÉ

Le succès ou l'échec des réunions régulières tient essentiellement à leur préparation. Certaines entreprises demandent à leurs responsables de prévoir des réunions bimensuelles en tête à tête avec leurs collaborateurs pour discuter des éventuels problèmes, fixer des objectifs et leur donner un rapport écrit de leurs performances. Avant ces réunions, les responsables distribuent aux intéressés leur évaluation de performances, de sorte qu'ils puissent préparer leur réponse.

48 N'oubliez pas qu'une « bonne réunion » est une réunion qui donne des résultats.

Diriger une Équipe

Un bon responsable doit savoir diriger et encourager son équipe à améliorer ses performances, approfondir ses connaissances et exploiter pleinement ses capacités. Diriger est l'essence même du travail d'un responsable et pas uniquement en termes d'évaluation des performances et de notation annuelle. En tant que responsable, vous devez fixer des objectifs à vos collaborateurs et les inciter à améliorer leurs performances et à évoquer ouvertement leurs forces comme leurs faiblesses. Si vous savez les diriger convenablement, vos collaborateurs seront plus assurés et performants et prendront volontiers l'initiative de se fixer des objectifs personnels visant à améliorer leurs performances.

▼ RECHERCHER DES SOLUTIONS

Avant d'inciter l'un de vos collaborateurs à rencontrer un conseiller professionnel, vérifiez qu'il admet avoir un problème et voir besoin d'aide. Rencontrez-le en terrain neutre, dans une salle où ni les visites impromptues ni les appels téléphoniques ne viendront perturber l'entretien.

49 Écoutez vos collaborateurs, ils peuvent être de bon conseil.

Conseiller ses Collaborateurs

Il suffit parfois de quelques conseils pour soulager des problèmes. Mais à moins d'être qualifié dans ce domaine, laissez faire un professionnel, qui saura comment aider les gens à affronter et résoudre leurs problèmes. Lorsqu'un collaborateur semble en difficulté, proposez-lui le soutien d'un conseiller professionnel qui l'aidera à trouver la racine du problème. Dans la mesure du possible, soutenez cette démarche en veillant, par exemple, à ce que le collaborateur puisse disposer de quelques heures de libre s'il en a besoin.

50 N'ignorez pas les problèmes de vos collaborateurs, car ils freinent les performances.

Présider une Réunion
avec Succès

La plupart des responsables d'entreprise pensent qu'ils passent trop de temps en réunions. Pourtant, une réunion bien conduite est un moyen efficace de communiquer. Lorsque vous présidez une réunion, gardez le contrôle des événements et ne laissez pas la situation vous échapper.

51 Distribuez tous les documents nécessaires avant le début de la réunion.

Préparer une Réunion

Pour préparer une réunion, vous devez vous poser quatre questions essentielles : Quel est le but de la réunion ? Pourquoi a-t-elle été organisée ? Quel est son critère de succès ? Qui doit y participer ? Vos réponses vous permettront de déterminer si la réunion est nécessaire. Toute réunion doit se conclure en ayant atteint son but. En l'absence de décision, un plan d'action doit au moins être défini. En général, les petites réunions, qui ne rassemblent que les personnes strictement nécessaires, sont les plus efficaces.

52 Si le principal objectif d'une réunion est une prise de décision, veillez à ce que cela soit fait.

Ouvrir une Réunion

Après les présentations d'usage, rappelez l'objet, les résultats escomptés et l'heure prévue de clôture de la réunion. Si elle doit respecter une procédure particulière, indiquez-le dès le début. Vérifiez que tous les participants disposent des documents r et approuvent l'ordre du jour. Si cette réunion es suite d'une autre, vous devrez discuter et faire approuver le compte rendu de la précédente réunion, mais sans aborder aucun des points à l'ordre du jour de la réunion actuelle. Passez ensuite directement au premier point en laissant de préférence un autre participant lancer la discussion.

53 Si vous présidez la séance, veillez à ne pas manipuler les débats à votre avantage.

CONDUIRE UNE RÉUNION

Trouvez un équilibre permettant de faire avancer promptement la discussion tout en laissant à chacun le loisir d'exprimer son opinion. La pratique courante consistant à poursuivre sur un sujet tant qu'aucune décision n'a été prise prend du temps et provoque des tensions. Pour que la réunion ne s'éternise pas, surveillez l'heure (placez une montre ou une petite pendule près de vous). Limitez la durée accordée à chaque point afin de terminer la réunion à l'heure prévue.

54 Dans certaines situations, un trait d'humour permet d'arriver à un consensus.

CLORE UNE RÉUNION

Prévoyez suffisamment de temps pour clore la réunion dans les règles. Résumez la discussion et assurez-vous que ce résumé reçoit l'approbation de tous, déterminez comment traiter les points non couverts ou intégralement développés lors de la réunion (éventuellement, chargez quelqu'un de s'en occuper) et, enfin, expliquez comment appliquer les décisions prises, c'est-à-dire les actions à mener. Nommez un responsable par action et fixez une date d'échéance.

55 Veillez à respecter le temps accordé à chaque point de l'ordre du jour.

COMMUNIQUER PAR ÉCRAN INTERPOSÉ

Les vidéoconférences ne remplacent pas les réunions en tête à tête mais sont un bon complément. Elles sont souvent plus efficaces que les conférences par téléphone car les participants apprécient (et ont parfois besoin) de se voir. Organisez des vidéoconférences si vos bureaux sont si dispersés (à des heures d'avion les uns des autres) qu'il est difficile d'organiser une réunion classique.

◀ **ORGANISER UNE VIDÉOCONFÉRENCE**
La vidéoconférence, qui permet quand même un contact visuel, est un bon moyen pour tenir une réunion sans dépense excessive en temps et en transport.

Atteindre un Public

Qu'il s'agisse d'une présentation orale, d'un séminaire, d'une conférence ou d'une formation, une bonne préparation de l'événement comme de son intervention s'avère toujours fructueuse. Les images ayant plus d'impact que les mots, n'hésitez pas à exploiter les techniques audiovisuelles.

 56 Terminez votre intervention à l'heure fixée ou un peu avant, mais jamais après.

57 Prévoyez un double ou mémorisez vos supports audiovisuels en cas de défaillance.

Préparer ses Interventions Orales

Il faut environ 4 800 mots et de nombreuses heures d'écriture pour rédiger l'intégralité d'une intervention de 30 minutes. La préparer sous forme de notes est évidemment plus rapide. Articulez-la autour de thèmes liés ; résumez chaque thème, puis associez-lui des informations sous forme de notes. Prévoyez environ 3 minutes par thème si vous utilisez des supports audiovisuels, sinon 1 à 2 minutes suffisent. Pense à répéter votre intervention.

Convaincre

La phase de répétition, souvent omise, est essentielle à la rhétorique. Chaque discours est une performance. Si vous prévoyez d'utiliser des notes, elles doivent être succinctes de sorte qu'un simple coup d'œil sur un mot vous remémore plusieurs idées complexes. Reportez-vous à vos notes, mais ne les lisez pas. La mémoire auditive étant faible, vos propos doivent être limpides. Exprimez-vous dans un langage clair, avec des phrases courtes, à un rythme régulier et avec des transitions logiques. Le dernier point évoqué doit faire référence au premier.

58 Posez des questions au public s'il ne se décide pas à vous en poser.

▼ SE FAIRE COMPRENDRE
Faire passer un message s'effectue en trois phases : énoncer le message, le délivrer et le répéter.

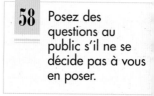

Présenter le message	Délivrer le message	Répéter le message

59 La capacité maximale d'attention soutenue d'un individu est de 20 à 45 minutes.

SUSCITER DES RÉACTIONS

Si vous le pouvez, laissez vos notes de côté et exprimez-vous en vous déplaçant avec assurance. Vous briserez ainsi la barrière psychologique que constitue l'estrade et semblerez plus accessible, de même que votre discours. Comme un auditoire est plus souvent favorable qu'hostile, profitez de ce soutien pour asseoir votre assurance. Fixez le centre de l'auditoire, à environ deux tiers du fond de la salle, trouvez le contact du regard et encouragez l'assistance à participer ; poser des questions fonctionne aussi bien avec un large public qu'en tête à tête. Faire rire contribue également à briser la glace.

UTILISER DES ÉQUIPEMENTS AUDIOVISUELS

Le projecteur de diapositives et le rétroprojecteur sont très couramment utilisés. Dans le cas d'un public restreint, le tableau papier et le tableau blanc sont parfaits. Grâce aux nouvelles technologies, qui permettent de relier des ordinateurs à des rétroprojecteurs, ces outils sont désormais d'un emploi facile, rapide et économique. Vérifiez à l'avance le fonctionnement de l'équipement et assurez-vous qu'il correspond à vos besoins. Si nécessaire, distribuez aux participants une copie de vos notes et de vos supports audiovisuels.

▼ RÉUSSIR UNE PRÉSENTATION
Adoptez un langage du corps positif. Renforcez vos propos par des gestes, mais sans exagérer. Si vous êtes à l'aise et confiant sans notes, n'en utilisez pas.

Parlez clairement et pas trop vite.

Gardez une expression de visage positive.

Soulignez vos propos par des gestes de la main ouverte.

Tenez-vous droit et regardez le public.

Servez-vous d'un pointeur pour illustrer vos propos.

Vérifiez que les documents à projeter sont classés dans l'ordre.

DISPENSER UNE FORMATION BÉNÉFIQUE

Une session de formation du personnel est une forme essentielle de communication. Le plus efficace est souvent une formation intensive de quelques jours passés à l'écart du bureau. Des groupes de discussions informelles ou des conversations avec les participants permettent également d'obtenir un feed-back précieux sur tous les aspects de l'entreprise. De même, un feed-back sur la formation proprement dite est nécessaire pour juger de son utilité.

60 Si possible, organisez un séminaire ou une conférence avec un orateur réputé.

61 Vérifiez régulièrement que vos collaborateurs reçoivent la formation dont ils ont besoin.

ORGANISER UN SÉMINAIRE

Les ateliers et les séminaires internes permettent de se former dans des secteurs vitaux pour l'entreprise. Ce sont des réunions de travail, pratiques, informelles, aux objectifs précis. Si vous organisez un tel événement, n'y conviez que les personnes strictement nécessaires ; il est souvent utile que des membres de la direction y participen Organisez des séminaires externes pour faire part de changements à des clients ou à des fournisseurs ou pour créer une occasion de vente. Invitez la direction de l'entreprise à y participer par le biais d'un discours, ou d'une intervention.

PRENDRE LA PAROLE LORS D'UN SÉMINAIRE

Si vous devez intervenir lors d'un séminaire interne ou externe, demandez aux organisateurs les sujets couverts par les autres intervenants pour ne pas les répéter. Vérifiez le temps qui vous est accordé et si une session de questions/réponses est prévue en fin d'intervention. Si vous parlez sans micro, vérifiez que les personnes placées au fond de la salle vous entendent parfaitement (au besoin, posez-leur la question). Ne parlez pas trop vite, et surveillez l'heure à votre montre ou à la pendule murale pour ne pas dépasser le temps prévu.

62 Demandez à d'autres responsables s'ils accepteraient d'intervenir dans des séminaires.

PLANIFIER UNE CONFÉRENCE

Une conférence est une réunion plus formelle qui groupe plus de participants qu'un séminaire. Comme n'importe quelle réunion, elle doit avoir des objectifs qui serviront de base à l'ordre du jour et de tremplin aux discussions. Les conférences de ventes internes sont plus particulièrement destinées à motiver le personnel. Comme toute conférence, elles exigent des salles d'exception, des intervenants chevronnés, un matériel audiovisuel haut de gamme et une planification minutieuse. Déterminez largement à l'avance qui interviendra lors de la conférence. Si une personne accepte d'animer le débat, il sera plus facile de capter l'attention du public et de susciter son enthousiasme. Assurez-vous que chaque intervenant sait exactement quand il doit intervenir et pendant combien de temps.

POINTS À RETENIR

● Un événement bien préparé a toutes les chances de succès.

● Les techniques audiovisuelles renforcent un message.

● Un employé a droit à autant d'attention et de respect qu'un fournisseur ou un client.

● Vous pouvez (moyennant finances) convier aux événements mondains de votre entreprise des orateurs professionnels ou des gens du spectacle.

● Les conférences et les séminaires ne sont utiles que s'ils entraînent une action.

63 Pour choisir une nouvelle salle de conférence, demandez conseil.

CHOISIR UNE SALLE

Le choix de la salle est révélateur et contribue au message. Lorsque vous choisissez une salle pour une conférence ou un séminaire, réfléchissez bien à vos besoins et retenez la mieux adaptée au type d'événement et à son ampleur. Une grande conférence nécessite une salle pouvant accueillir un grand nombre de personnes. En revanche, un atelier se contentera d'une salle moyenne et de quelques salles plus petites pour les groupes ou les équipes de travail. Avant de réserver une salle, vérifiez, par exemple, qu'elle dispose des équipements électroniques requis (tels micros et projecteurs), de sièges confortables pour tous les participants et de possibilités pour se restaurer ou se rafraîchir.

À FAIRE ET À NE PAS FAIRE

✓ Vérifiez que les participants savent accéder à la salle et peuvent s'y rendre.

✓ Planifiez les événements mondains, y compris les pauses rafraîchissement.

✓ Soyez prêt à revoir l'ordre du jour en cas d'imprévu.

✗ Ne comptez pas qu'une personne intervienne à l'improviste et sans préparation.

✗ Ne conviez que les personnes dont la présence est indispensable.

✗ N'oubliez pas de demander un feed-back.

COMMUNIQUER POUR VENDRE

Vendre est le pivot de toute relation professionnelle même s'il ne s'agit pas d'inciter un client à acheter. Quelle que soit la situation, vous pouvez appliquer les techniques propres à la vente dans bien des situations professionnelles.

64 Pour une vente discrète, posez une question.

Sourire amical

Geste avec la main ouverte

VENTE DISCRÈTE

Une bonne vente est discrète : vous cherchez à provoquer un besoin et promettez de le combler. Utilisez cette approche dans votre travail en adaptant votre discours aux diverses situations. Parmi ces techniques, citons :

● Analyser une situation par le biais de questions et par l'écoute plutôt que par des affirmations.
● Laisser toujours les autres répondre.
● Se montrer compréhensif face aux réticences, mais persévérer jusqu'à faire accepter son point de vue.

◀ **UTILISER LA « VENTE DISCRÈTE »**
Sourire et faire des gestes avec la main ouverte, paume tournée vers le haut, sont des techniques de vente discrète. Ces deux attitudes sont amicales et persuasives. De plus, les gestes de la main renforcent les propos.

VENTE FORCÉE

La méthode de la vente forcée consiste à pousser la personne dans ses derniers retranchements pour l'obliger à prendre une décision. Lorsque vous essayez d'imposer une idée au travail, soyez positif et appliquez cette méthode au moment où vous approchez du but. Parmi les techniques de vente forcée, citons :

● Faire une « toute, toute dernière » offre.
● Insister sur l'occasion à ne pas manquer.
● Mettre l'accent sur la concurrence.
● Pousser à une décision immédiate.

65 Écoutez les objections émises ; elles peuvent vous fournir les indices qui vous aideront à conclure la vente.

VENTE PAR LE BIAIS DE SUPPORTS ÉCRITS

Les documents visant à vendre quelque chose (qu'il s'agisse de vente par correspondance ou de « vendre » une proposition à des collègues) obéissent à des règles qui peuvent paraître paradoxales. Ainsi, pour la vente directe à des distributeurs, une longue lettre fait plus d'effet qu'une courte. À l'inverse, plus une note de service est brève, plus elle est efficace. Long ou court, votre document doit préciser d'entrée son objet. Suscitez l'intérêt, collez à votre sujet, argumentez et terminez avec un bref résumé.

66 Demandez à un collègue de relire vos courriers professionnels pour vérifier qu'ils sont clairs.

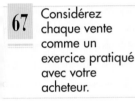

67 Considérez chaque vente comme un exercice pratiqué avec votre acheteur.

UTILISER LES ORDINATEURS

L'ordinateur s'est imposé comme un formidable outil d'aide à la vente. Il permet, par exemple, d'enregistrer des informations sur des clients potentiels, que vous pouvez afficher sur votre écran lorsque vous leur téléphonez. Cela rehausse votre efficacité et peut vous aider à conclure un marché. L'ordinateur s'avère particulièrement utile dans le secteur de la vente de services financiers puisque des programmes permettent de générer des propositions personnalisées à partir de données enregistrées.

VENDRE DES IDÉES ET DES CONCEPTS

Les techniques de base de vente sont applicables à la plupart des principales tâches essentielles de management. Maîtriser son discours peut se révéler essentiel au succès en entreprise comme à l'extérieur. Lors de votre prochaine tentative de vente, servez-vous de certaines des phrases de vente discrète et de vente forcée ci-dessous :

J'ai eu cette idée en repensant à ce que vous m'aviez dit l'autre jour.

C'est exactement ce que vous voulez. Nous devons prendre une décision, ou nous nous ferons distancer par l'un de nos concurrents.

Nous n'avons pas beaucoup de temps pour étudier cette proposition. En fait, c'est maintenant ou jamais.

Personne ne saurait le faire aussi bien que nous.

NÉGOCIER POUR GAGNER

Toute négociation requiert des qualités exceptionnelles de communication, essentielles à tout manager. Vous devez être capable d'avancer des propositions claires de comprendre exactement ce qu'offre la partie adverse.

68 Variez volontairement les personnalités au sein de votre équipe de négociateurs.

ÉTAPES DE NÉGOCIATION

Déterminez votre stratégie

Avancez votre proposition

Affirmez votre proposition et lancez la négociation

Marchandez avec la partie adverse

Résumez et signez un accord

PRÉPARER SON INTERVENTION

Mieux vous préparez une négociation et plus elle a de chances de réussir. Déterminez d'abord vos objectifs. Décidez ensuite si elle sera menée par une seule personne ou par une équipe, auquel cas, réfléchissez à la meilleure association. Assurez-vous que l'équipe a bien analysé les problèmes et la position à tenir, cela permettra de fixer l'ordre du jour en accord avec l'autre partie. Faites répéter les rôles au moins une fois avant la négociation. Enfin, définissez votre position de base, c'est-à-dire le minimum acceptable.

MAÎTRISER CERTAINES TECHNIQUES

Négocier « sur la base des besoins de la partie adverse » vous assure un contrôle maximal des débats avec un minimum de risques. Mais il est essentiel de bien synchroniser. En phase de discussion et de marchandage, vous devez évaluer la position de l'adversaire et choisir le bon moment pour revoir votre offre, rejeter une proposition ou introduire un nouvel élément. Essayez systématiquement d'inciter l'adversaire à passer de l'opposition à l'alliance. Les questions du type « Êtes-vous prêt à signer ? » contribuant à affaiblir une position tout en captant l'attention, sont sources d'informations et propices à la réflexion.

NÉGOCIER POUR ACHETER

Lorsque vous négociez pour acheter, deux choses sont essentielles. Vous devez d'abord déterminer exactement ce dont vous avez besoin. N'oubliez pas que le rôle du vendeur est de vous persuader que vos besoins et son offre ne font qu'un. Et vous devez aussi déterminer le prix que vous êtes prêt à payer. Fixez-vous un maximum à ne pas dépasser et respectez-le. Dans ce type de négociation, le premier qui donne un prix est désavantagé, aussi, essayez d'inciter l'autre à faire la première offre financière.

69 Réfléchissez au résultat idéal pour vous et à la façon de l'atteindre.

70 Dialoguez avec vos fournisseurs ; leurs informations vous aideront peut-être à décrocher des marchés intéressants.

NÉGOCIER AVEC DES FOURNISSEURS

La méthode traditionnelle consiste à demander des devis à plusieurs fournisseurs, à les analyser, à marchander, à demander des réductions, à monter légèrement son offre et à s'accorder sur le prix le plus intéressant pour les deux parties. Si le fournisseur pose un problème de qualité ou de livraison, renégociez le marché. Une nouvelle méthode, plus efficace, consiste à trouver les meilleurs fournisseurs et à négocier pour obtenir les prix les plus bas et un juste équilibre des bénéfices entre les deux parties. La négociation porte sur des questions de fiabilité ou sur des éléments non financiers avant d'aborder les prix.

MARCHANDER AVEC LE PERSONNEL

Les réunions en tête à tête sont utiles pour négocier des objectifs fixés au personnel, tels que la qualité du travail et la productivité. Lorsque vous trouvez un accord, rappelez-vous que l'autre doit penser qu'il a gagné quelque chose, même si c'est faux. Si vous traitez avec des négociateurs confirmés et intraitables et que leurs exigences dépassent de loin le minimum que vous pouvez accorder, restez calme et concentrez-vous à trouver un accord qui respecte vos limites.

71 N'oubliez pas que les travailleurs font rarement grève pour des problèmes mineurs.

RÉDIGER DES RAPPORTS

L es rapports sont des documents formels qui auront des lecteurs. Ils doivent donc toujours être précis et bien conçus, et se terminer par une réelle conclusion. Si vous devez rédiger un rapport, veillez à respecter strictement les consignes reçues.

72 Soyez sans pitié : supprimez de votre rapport tous les mots inutiles.

EFFECTUER DES RECHERCHES POUR UN RAPPORT

73 Personnalisez vos rapports en fonction de vos destinataires.

Si vous rédigez un rapport sur une activité, vérifiez l'exactitude de chaque point qui le constitue. Dressez la liste des points à traiter et indiquez pour chacun, sans exception, la ou les sources d'information possibles. Avant de finalise votre rapport, confirmez auprès d'une personne fiable les informations obtenues *via* au moins l'une des sources de chaque point.

À FAIRE ET À NE PAS FAIRE

- ✔ Chaque rapport doit être intéressant.
- ✔ Transcrivez mot pour mot et entre guillemets les propos des personnes interviewées.
- ✔ Insistez sur les faits et les informations les plus importants.
- ✔ Numérotez vos paragraphes pour bien séparer vos points et permettre les renvois.
- ✔ Donnez des titres à vos sujets et des sous-titres aux thèmes associés.

- ✘ Évitez le verbiage et les paragraphes qui n'en finissent plus.
- ✘ N'abusez pas de la première personne du singulier à moins de faire état de vos opinions personnelles.
- ✘ Ne vous laissez pas aller aux digressions ou à sortir du sujet.
- ✘ Ne tirez pas de conclusions en l'absence de preuves suffisantes.
- ✘ N'imprimez pas votre rapport avant d'avoir vérifié vos sources.

STRUCTURER UN RAPPORT

Dans l'introduction du rapport indiquez son objet et résumez vos principales conclusions. Dans le corps du document, étayez des preuves, présentées en séquence logique dans des paragraphes numérotés. Servez-vous de tous les éléments typographiques permettant de bien structurer un document et d'attirer l'attention sur les point essentiels. Utilisez les caractères gras pour mettre des passages en évidence. Terminez le rapport en résumant l'action préconisée.

GARANTIR LA PRÉCISION

Les rapports ne sont pas des œuvres littéraires, mais les meilleurs respectent les règles de la belle écriture. Évitez les ambiguïtés. Si vous doutez de vos conclusions, proposez des alternatives et invitez le lecteur à se faire sa propre opinion. Préférez les phrases courtes. Avant tout, essayez de vous mettre à la place du lecteur. Comprendra-t-il ce que vous voulez dire ? Si vous le pouvez, faites lire votre rapport à un ami ou à un collègue avant de le distribuer.

74 Ne ratez pas les occasions de présenter votre rapport oralement.

75 Évitez les affirmations ou les conclusions gratuites.

ÊTRE CONCIS

La précision d'un rapport est directement proportionnelle à sa concision. N'employez jamais deux mots là où un suffit, ou trois lorsque deux sont suffisants. Soignez la conclusion et commencez chaque section par un court résumé. À la relecture, élaguez au maximum votre rapport, il y gagnera en clarté.

PRÉSENTER UN RAPPORT ORALEMENT

Lorsque vous devez présenter oralement un rapport, demandez-vous si l'important est le débat ou l'impact. Si vous devez défendre une cause, distribuez votre rapport au début de la réunion, puis résumez-le en vous aidant de supports audiovisuels. Dans une situation plus neutre, distribuez le rapport bien avant la réunion, puis préparez-vous sérieusement pour pouvoir répondre à toute question ou objection.

▲ **PRÉSENTER AVEC L'AIDE DE SUPPORTS AUDIOVISUELS**
D'excellents supports audiovisuels et des compétences confirmées d'orateur donnent plus de poids aux conclusions d'un rapport distribué lors d'une réunion et aident à vendre un rapport.

RÉDIGER DES PROPOSITIONS

À la différence d'un rapport, une proposition est un document destiné à convaincre ses lecteurs d'adhérer à la proposition que vous leur faites. Elle doit donc être très ciblée et ses arguments doivent percuter.

76 Trouvez des alliés pour préparer le terrain et faire pression en faveur de votre proposition.

COMMENT L'ÉBAUCHER

Exposer la proposition

Expliquer sa nécessité et ses avantages

Évaluer les ressources requises et prouver que la proposition respecte les impératifs financiers

Désigner un responsable et fixer un délai

Conclure par un plan d'action

EFFECTUER DES RECHERCHES POUR UNE PROPOSITION

Pour avoir ses chances, une proposition doit être cohérente avec la politique de l'entreprise. Avant de rédiger une proposition, vérifiez si et comment elle s'insère dans le schéma global de l'entreprise. Effectuez des recherches pour :

- Définir comment la proposition suit la stratégie de l'entreprise et si des activités à l'étude ou prévues sont en conflit avec elle.
- Déterminer les éléments (financiers, ressources, implications juridiques, par exemple) à prendre en compte, et leurs répercussions possibles sur l'entreprise.
- Connaître les objectifs que les décideurs de l'entreprise visent à atteindre à court, moyen et long terme.
- Rassembler les informations susceptibles de soutenir votre proposition et utiles pour l'étape suivante : la planification.

77 Demandez-vous honnêtement pourquoi une proposition est rejetée et une autre acceptée.

PLANIFIER UNE PROPOSITION

Structurez votre proposition de la même manière qu'un rapport. Commencez par résumer la proposition, développez votre argumentation en mettant des titres, puis terminez par un résumé de vos points essentiels. Veillez à avoir une approche optimiste ; votre enthousiasme peut convaincre les autres de votre capacité à obtenir les résultats annoncés. Si la proposition implique certains risques, expliquez que vous avez déjà pleinement évalué les inconvénients potentiels et attachez-vous aux bénéfices.

78 Servez-vous des techniques de vente discrète pour faire accepter votre proposition.

QUESTIONS À SE POSER

Q Quel en est le coût et qui sera impliqué ?

Q Quels sont les bénéfices escomptés (sur le plan économique, commercial et qualitatif) de la proposition ?

Q Comment sera-t-elle mise en œuvre ?

Q Pourquoi la faites-vous maintenant ?

Q Pourquoi pensez-vous que ce sera un succès ?

ASSURER LA LIAISON

Lorsque vous distribuez une proposition, assurez-vous que les destinataires savent quand et comment vous prévoyez de suivre l'affaire, ou si vous attendez une réponse écrite. Que la proposition s'adresse à des collègues en interne, à des fournisseurs ou à des clients externes, il est toujours utile de prévoir une réunion pour la discuter. Si possible, prévoyez une présentation avec supports audiovisuels car plus votre proposition aura d'impact visuel et plus elle a de chances de passer. Toutefois, n'oubliez pas que même une présentation excellente et percutante n'arrivera pas à vendre une proposition incohérente.

RÉDIGER UN PROJET COMMERCIAL EFFICACE

Si vous avez besoin de budget pour lancer un projet, vos débiteurs potentiels demanderont à lire votre projet commercial. Ce document doit intégrer une proposition claire, une solide argumentation et une conclusion. Soutenez votre proposition à l'aide de faits détaillés et de projections chiffrées sur une période pertinente (en général, au moins trois ans). Votre document doit prouver que vous avez de bonnes notions financières, que tous les facteurs ont été pris en compte, que vous avez envisagé le meilleur comme le pire de chacune de vos hypothèses et que votre projet offre de fortes probabilités de bénéfice s'il est mené à bien.

RÉDIGER DES PROJETS COMMERCIAUX

Assurez-vous que votre document fait professionnel. Prévoyez une page de titre et un sommaire et reliez-le entre deux pages cartonnées.

Faire une Forte Impression Visuell

L'aspect visuel d'un document est très important et une bonne mise en page lui donnera de l'impact, voire sera décisive. Si vous le pouvez, offrez-vous les services d'un professionnel pour concevoir vos documents.

79 Ajoutez légendes et titres, qui sont toujours lus en premier.

Évaluer ses Besoins Graphiques

80 Chaque fois que possible, insérez des dessins, des graphiques et des diagrammes dans vos documents.

Quel que soit le type de document, optez pour simplicité d'exécution des dessins standards que vous adapterez à vos besoins. Ainsi, par un emploi judicieux du logo et par l'excellence de leur qualité, les graphismes des documents de ventes externes doivent conforter l'image de l'entreprise et faire sa publicité. À moins de compétences dans le domaine, envisagez les services d'un dessinateur professionnel qui donnera à vos documents l'impact visuel requis. Choisissez une personne expérimentée.

Employer un Dessinateur

Lorsque vous décidez de faire appel à un dessinateur professionnel, n'oubliez pas de feuilleter son book car ses précédents travaux sont une bonne indication de ses compétences. Dès le début, donnez-lui des instructions précises. Expliquez bien ce que vous recherchez, demandez des ébauches et fixez des dates de présentation des dessins et d'échéance finale. N'ayez pas peur de refuser les ébauches proposées et de redonner des instructions pour obtenir ce que vous voulez vraiment. N'oubliez pas que vous ne devez pas juger le dessin en fonction de vos goûts, mais de sa capacité à répondre à vos objectifs commerciaux.

81 Suivez le travail du dessinateur afin de rectifier très vite les erreurs et de redonner des instructions.

REPRÉSENTER GRAPHIQUEMENT POUR PLUS DE PRÉCISION

La décision la plus importante porte sur le choix du caractère, qui doit être clair et lisible. Si votre budget vous permet la couleur, exploitez au maximum cet avantage, mais évitez d'imprimer sur fond coloré ou sur des illustrations car le texte serait moins lisible. Les caractères blancs sur fond noir sont également difficiles à déchiffrer. Résistez aux gadgets : choisissez une présentation simple et adaptée à votre objectif.

La disposition des paragraphes n'est pas professionnelle.   *Le choix d'un papier couleur est une erreur.*

L'alignement des caractères facilite la lecture.   *L'objet de la proposition apparaît clairement en caractères gras.*

De Un responsable
À Tous les directeurs   Date

PROPOSITION
Améliorer la communication au sein de l'entreprise dans les six mois à venir.

1 Analyse de la situation actuelle

2 Avantages potentiels d'une nouvelle technologie
• mise à niveau informatique
• possibilités de vidéoconférence

3 Formation
• équipe de vente
• services clientèle
• tout le personnel

4 Implications financières

5 Plan d'action

Les dessins n'ont aucun intérêt.   *Le titre prend trop d'importance.*

La numérotation et les puces favorisent la lisibilité.   *Les caractères sont bien espacés et imprimés sur un papier neutre.*

▲ MAUVAISE PRÉSENTATION

Ce document est confus pour plusieurs raisons : emploi inopportun d'un trop grand nombre de styles de caractères différents, alignement hétérogène et illustrations inutiles. Il donne l'impression d'un document bâclé.

▲ BONNE PRÉSENTATION

L'emploi de chiffres en gras et de listes à puces, l'alignement des caractères et l'espacement régulier des paragraphes donnent un aspect professionnel à cette première page de proposition. Elle transmet un message positif.

Communiquer pour des Résultats

À l'heure actuelle, les responsables d'entreprise sont au défi de savoir exploiter une foule de supports pour impressionner réellement le public.

Se Créer une Identité

L'identité d'une entreprise lui permet de s'identifier facilement auprès du public et de ses homologues, et l'aide à se positionner sur le marché. Si votre budget vous le permet, offrez-vous les services d'un concepteur ou d'un conseiller pour le faire.

82 Avant de finaliser un nouveau logo, demandez un avis extérieur à l'entreprise.

83 Gardez vos énoncés de vision et de mission orientés sur l'action.

Tenir Compte de l'Image

L'identité d'une entreprise influence les perceptions par rapport à l'entreprise. Une bonne image aide à gagner les faveurs du public. Tandis qu'une mauvaise image véhicule un message défavorable aux employés comme au public. Dan l'idéal, l'identité d'une entreprise doit avoir un impact visuel (un logo percutant ou des couleurs par exemple) car c'est l'atout majeur d'une communication efficace. Avant de donner des instructions concernant la conception d'une nouvelle identité, déterminez l'image que vous souhaitez donner et vérifiez que vos collègues sont d'accord et vous soutiennent.

CHANGER D'IDENTITÉ

Toutes les entreprises ont une identité, c'est-à-dire une façon d'être perçues par les autres, mais la plupart s'en remettent à la chance. Si tel est votre cas, vous vous privez d'un puissant outil de marketing et de recrutement. Pour vous créer une identité d'entreprise efficace, fixez-vous un objectif et une stratégie (une « vision » et une « mission ») et l'image que vous souhaitez transmettre. Comparez cette image avec la réalité et agissez pour les rapprocher.

84 Consultez les sites Web des grandes entreprises pour savoir avec quelle identité elles se présentent.

UTILISER UNE IDENTITÉ

Lorsque vous avez trouvé une identité, exploitez chacun des éléments qui la constituent dans vos rapports d'entreprise, vos en-têtes de lettre, vos locaux et vos logos pour harmoniser le message. Vous pouvez aussi mettre votre cachet sur les documents internes pour promouvoir l'image de l'entreprise. Assurez-vous que cette identité est homogène sur tous vos supports. Surveillez son emploi et revoyez-le de temps à autre pour garantir que les perceptions qu'elle suscite correspondent à vos besoins stratégiques du moment.

UTILISER DES LOGOS SUR DES PRODUITS

Grâce à leur logo personnalisé et à leur conditionnement rouge et blanc, les produits Coca-Cola sont immédiatement identifiés. Cette forte identité a permis à Coca-Cola de prendre la première place sur le marché international.

La forme de la bouteille en plastique rappelle celle de la bouteille en verre.

Les bouteilles en verre traditionnelles de Coca-Cola ne ressemblent à aucune autre bouteille de soda.

Les boîtes rouge vif portent le logo.

UTILISER DES SITES WEB

Le Web est la principale source d'information sur les entreprises et très souvent aussi sur des services et des produits. Chacun peut se créer un site, mais rappelez-vous les points suivants :
● Un professionnel sait toujours mieux développer un site Web. Demandez un minimum de pages d'accueil car faire défiler de nombreuses pages est agaçant, c'est une perte de temps et c'est rébarbatif pour les visiteurs du site.
● Si vous visitez un site qui vous semble efficace, n'hésitez pas à copier les éléments qui font son succès ou à les adapter aux besoins de votre entreprise.
● Attention aux mauvaises habitudes, tel l'abus de graphique qui ralentit considérablement l'accès.

SE SERVIR DES
RELATIONS PUBLIQUES

Tous les responsables d'entreprise doivent tenir compte de l'impact de leurs actions sur le public. Les relations publiques traitent de la manière dont les messages circulent entre le public et une entreprise. Développez vos relations publiques en interne ou embauchez des experts.

85 Chargez vos relations publiques des situations de la communication potentiellement difficile.

86 Restez calme en face d'un journaliste agressif ; évitez tout propos que vous pourriez regretter.

RELEVER SON IMAGE

La réputation d'une entreprise est sans doute son capital le plus précieux. Le rôle des relations est de répandre et de renforcer une réputation, et de prévenir ou d'atténuer les coups portés à cette réputation. Les experts en relations publiques travaillent sur un plan associé à la stratégie globale à long terme de l'entreprise. Ils trouveront des techniques pour compléter les campagnes publicitaires payantes et sensibiliser le public. La publicité la plus efficace est le « bouche à oreille » ; cette promotion gratuite doit donc être l'un des principaux outils du service des relations publiques

EXPLOITER LES RELATIONS PUBLIQUES

Dans une petite entreprise, les relations publiques peuvent être assurées par la direction ou par des employés. En revanche, une grande entreprise doit disposer d'un service de relations publiques, principalement chargé de garder le contact et de répondre régulièrement à la presse. Si vous disposez d'un service de relations publiques ou si vous payez une société spécialisée, assurez-vous qu'ils reçoivent bien les informations importantes (nouveaux produits ou derniers résultats de l'entreprise).

87 En cas de mauvaises nouvelles, avouez la vérité à tous, y compris à vous-même.

DONNER DES INSTRUCTIONS À DES CONSULTANTS

Lorsque vous faites appel à une société experts-conseils en relations publiques, présentez ses consultants aux personnes de votre entreprise qui pourront les aider en cas de besoin.

FAIRE APPEL À DES CONSULTANTS

Lorsque vous voulez faire passer un nouveau message au public, il est de règle de faire appel à des spécialistes des relations publiques. Même les grosses entreprises, qui disposent de leur propre service de relations publiques, sont parfois amenées à s'associer les services de sociétés spécialisées. Leurs consultants sont des experts, tous domaines confondus, de la gestion des crises à l'organisation de conférences, du lancement de produits à la mise en place d'un nouveau directeur. Ils bénéficient souvent d'un vaste réseau de relations et sont capables aussi bien d'idées novatrices que de leur mise en application. Renseignez-vous toujours sur leurs antécédents et demandez des références.

SAVOIR EXPLOITER LES RELATIONS PUBLIQUES

Les relations publiques sont moins onéreuses que la publicité, mais le service rendu étant proportionnel au prix payé, prévoyez un budget raisonnable. Souvenez-vous aussi que la publicité est à double tranchant et imprévisible, et que les chargés de relations publiques ne sont pas toujours à blâmer si la campagne prend une mauvaise tournure. Ils ne peuvent pas pallier les manques ou les erreurs d'instructions.
Vous devez travailler avec eux pour développer une stratégie de relations publiques mais, comme dans toute relation client/fournisseur, vous devez définir clairement leurs devoirs et vos attentes, et surveillez la progression de la campagne.

POINTS À RETENIR

- Vous devez informer le service des relations publiques et les consultants de ce qui se passe dans l'entreprise.
- Le personnel doit être formé et averti avant de s'exprimer face aux médias, et savoir comment répondre aux enquêtes.
- Donnez des instructions précises aux consultants pour qu'ils connaissent vos attentes.
- Les relations publiques sont un complément à la publicité.
- L'image d'une entreprise a un grand impact sur l'opinion publique.

57

UTILISER LA PRESSE ÉCRITE

Des articles dans la presse mentionnant votre entreprise ou vos produits peuvent être plus crédibles que la publicité directe. Ne ratez pas les occasions qui vous sont offertes de voir imprimer des articles sur vos spécificités et vos informations. Les journalistes sont généralement avides d'articles, aussi n'ayez pas peur d'une approche directe. Certains étant très exigeants, vérifiez que vous savez exactement ce que recherche leur journal et, au besoin, demandez l'aide de spécialistes. De même, vérifiez que vos communiqués de presse sont limpides et bien rédigés.

88 Achetez et lisez la presse que vous voulez toucher.

POINTS À RETENIR

● Les communiqués doivent être adaptés aux besoins de la presse.

● Accorder du temps aux médias est source de bénéfices pour l'entreprise.

● Il est toujours préférable de dire la vérité car elle risque toujours d'être dévoilée.

● Plus vous serez accessible aux médias et plus vous serez diffusé.

UTILISER LA RADIO

Les multiples stations de radio locales et nationales sont de précieux supports de campagne publicitaire. La radio permet aux entreprises de toucher en un temps record un maximum de personnes. Avant d'accepter de passer sur les ondes, renseignez-vous sur le nombre et le type d'auditeurs de la station. Conversez d'égal à égal avec les personnalités de la radio, et répondez honnêtement à leurs questions. Essayez de contrôler la conversation pour avoir le maximum de temps de parole et faire passer votre message.

UTILISER LA TÉLÉVISION

La télévision étant un moyen de communication extrêmement puissant et attrayant, ne refusez aucune invitation à paraître à l'antenne sous réserve d'être à l'aise devant une caméra. Entraînez-vous aux interviews. La technique consiste à être naturel et à répondre aux questions en ignorant la caméra. Les responsables d'entreprise peuvent tirer parti des vidéoconférences pour s'entraîner avant un interview télévisé, surtout s'ils risquent d'être confrontés à des questions inattendues.

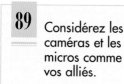

89 Considérez les caméras et les micros comme vos alliés.

PARLER AUX JOURNALISTES

Il est toujours payant d'entretenir de bonnes relations avec les journalistes. Néanmoins, rappelez-vous qu'ils ne sont pas à votre service, ils cherchent simplement une bonne histoire, de préférence qui devancera leurs concurrents. Mais accorder l'exclusivité à un journaliste risque d'irriter les autres, il vaut mieux l'éviter. Si des journalistes vous contactent pour avoir vos commentaires concernant un événement et que vous ne savez pas exactement quoi leur dire, demandez si vous pouvez les rappeler après avoir préparé une déclaration.

90 Si vous avez de bonnes relations avec la presse, profitez-en au maximum.

▼ **TRANSMETTRE LE BON MESSAGE**
Lorsque vous vous adressez à des journalistes, réfléchissez avant de répondre, soyez franc et exprimez-vous d'un ton assuré.

Le contact direct du regard prouve que vous n'avez rien à cacher.

Le journaliste prend quelques notes pour compléter l'enregistrement de la conversation.

Le langage du corps ouvert marque une volonté de coopération.

L'enregistrement de la conversation garantit que vos propos ne seront pas trahis.

EXPLOITER LES STATISTIQUES

Les lecteurs, les téléspectateurs et les auditeurs sont toujours impressionnés par les statistiques, même s'ils ne peuvent pas vérifier leur pertinence et leur exactitude. En fait, plus vous rassemblez de statistiques pour étayer un argument, dans un article de presse ou lors d'un interview à la radio ou à la télévision, plus il convaincra le public. Les statistiques présentent notamment l'avantage de pouvoir présenter une même information sous un jour favorable ou défavorable selon l'interprétation que vous faites des chiffres. Par exemple, des statistiques indiquant une augmentation de bénéfices de 258 pour cent ne sont pas obligatoirement aussi bonnes qu'elles y paraissent. En effet, si la période précédente était déficitaire, cette augmentation ne correspond dans la réalité qu'à de bien maigres bénéfices.

LANCER UNE CAMPAGNE EFFICACE

Les idées et les images créatives des bonnes publicités doivent toujours être liées à un objectif de vente clairement défini. Votre publicité doit donner envie d'acheter ce que vous proposez.

91 Assurez-vous que votre produit tient ses promesses, sinon votre campagne de publicité échouera.

92 Ciblez votre publicité pour optimiser son impact.

PLANIFIER UNE CAMPAGNE DE PUBLICITÉ

Il faut toujours préparer soigneusement le texte. Toutes les publicités véhiculent un message concernant votre entreprise. Le support de communication dépendra à la fois de l'élément à présenter et de votre budget. Choisirez-vous la télévision, la radio, les journaux, les magazines, les affiches, les panneaux publicitaires, Internet ou la publicité par correspondance ? Si vous utilisez plusieurs de ces supports, les messages communiqués doivent se renforcer l'un l'autre. Pour lancer une grande campagne de publicité, vous pouvez faire appel à une agence spécialisée.

93 Soyez inventif, vous ferez des merveilles même avec un petit budget.

◄ UTILISER UN GROUPE CIBLÉ
Dans cette étude de cas, la campagne a été un succès car l'agence connaissait parfaitement son groupe cible. Elle s'est rendu compte que ce n'était pas la quantité de publicités qui toucherait le groupe cible, mais plutôt la qualité du support où ils les trouvent.

ÉTUDE DE CAS

Un fabricant de chaussures veut lancer un nouveau style de bottillons très mode. Il fait appel à une agence de publicité dont l'étude de clientèle démontre que le marché pour ce type de chaussures est très restreint. L'agence pressent qu'une grosse campagne de publicité visant à toucher tous les clients potentiels serait inutile. Elle décide donc de concentrer ses efforts sur un groupe plus restreint de « précurseurs de la mode ».

Elle mise que le désir d'acheter passera directement des précurseurs à l'acheteur lambda. L'agence place des encarts dans un magazine très en vogue pour attirer l'attention des précurseurs de la mode, bien que l'étude démontre que peu de clients potentiels lisent ce magazine. La stratégie a marché : les « précurseurs de la mode » ont acheté les bottillons, très vite suivis par des milliers de personnes qui n'avaient jamais vu la publicité. Les ventes se sont multipliées par plus de cinq.

MESURER LE NIVEAU DE SENSIBILISATION

94 Avant de lancer une campagne publicitaire, testez-la sur des panels de consommateurs.

Il est primordial d'analyser le marché car les informations récoltées permettent de juger de l'efficacité d'une publicité. Des spécialistes de l'étude de marché pourront obtenir un feed-back valable et étudier le niveau de sensibilisation du public pour un produit avant, pendant et après une campagne de publicité. Au besoin, vous pouvez alors adapter les phases suivantes de votre campagne pour la réorienter vers une autre cible.

UTILISER LE RÉSEAU INTERNET

De plus en plus d'entreprises se servent du Web pour leur publicité. Le succès de la publicité sur Internet tient à plusieurs choses :
- Vous pouvez simultanément faire de la publicité pour vos produits et les vendre.
- Les images animées ajoutent à l'attrait.
- Le coût d'Internet est relativement faible comparé à d'autres supports de communication.
- Le Web est sans doute le seul support de publicité adapté aux produits et aux services de l'industrie comme des autres secteurs de consommation.

▲ SITES WEB D'ENTREPRISE
Utilisez votre site Web pour vendre vos produits, faire votre publicité et donner des informations.

UTILISER LA PUBLICITÉ DIRECTE PAR COURRIER

L'avantage d'une campagne de publicité par courrier (en vue de vendre par voie postale des produits ou des services à des clients sélectionnés) est que le message commercial atteint directement le groupe ciblé. En conséquence, la réponse et la rentabilité de l'opération sont quantifiables avec exactitude. Pour une rentabilité optimale, vous devez vous procurer une liste bien ciblée de destinataires, établie par vos services ou par une société spécialisée. Associez à cette liste l'offre qui convient et le publipostage devrait fonctionner à la perfection. Des études ont démontré que vous aurez plus de chances de recevoir une réponse si le pli propose plusieurs articles. Si votre groupe cible est réduit, vous arriverez sans doute à traiter vous-même ces courriers, sans service spécialisé ni spécialiste de la vente par correspondance.

COMMUNIQUER AU TRAVAIL

Les techniques efficaces pour communiquer avec l'extérieur le sont également pour communiquer en interne, même si l'échelle et le budget sont moindres. Servez-vous de ces techniques pour que vos messages aient de l'impact sur vos collaborateurs.

95 Participez aux événements mondains de l'entreprise afin d'obtenir un feed-back informel.

96 Recourez à des professionnels pour définir la stratégie interne.

CONVAINCRE SES COLLABORATEURS

Les collaborateurs sont les principaux « clients » de l'entreprise, comme chaque département de l'entreprise est le « client » d'un autre département ; ils se fournissent respectivement des services. Les lignes de communication entre tous ces départements doivent donc fonctionner parfaitement. Un responsable efficace ne rate jamais une occasion de tirer parti de ses échanges avec un collaborateur pour prouver à ce dernier qu'il le considère comme une ressource précieuse. La communication est un bon moyen pour faire passer ce message. Ciblez vos offres en fonction des besoins de vos collaborateurs : par exemple, des possibilités de formations supplémentaires, des projets de groupe et des équipements sportifs.

MARKETING INTERNE

Le marketing interne peut se révéler aussi efficace que le marketing externe pour attirer l'attention des gens, les intéresser, leur donner envie de s'investir, les convaincre de vous suivre et les inciter à adopter l'attitude appropriée. Plusieurs systèmes (du concours au panel de « consommateurs ») permettent de donner force et puissance à un message de la direction. Rappelez-vous que vous ne vous adressez pas à des enfants et ne mentez pas.

97 Imprimez votre logo sur tous vos supports papier pour sensibiliser les employés à l'entreprise.

VARIER LES SUPPORTS DE COMMUNICATION INTERNE

TYPE DE SUPPORT	FACTEURS À PRENDRE EN COMPTE
IMPRIMÉS Y compris questionnaires, communiqués et notes de service	● Utiles pour expliquer et rendre compte de problèmes qui touchent le personnel, par exemple, les résultats d'une enquête de comportement. ● Même s'ils sont très courts, les documents imprimés s'accumulent vite et sont souvent condamnés à finir à la corbeille avant même d'être lus.
RÉUNIONS ET ÉVÉNEMENTS MONDAINS Y compris réunions d'équipe, conférences promotionnelles et lancements de produits	● Ce sont des occasions rêvées pour motiver l'ensemble du personnel ou une équipe. ● Ces événements peuvent s'avérer coûteux car ils nécessitent une planification, une préparation et un suivi scrupuleux ; parfois même des professionnels et des salles somptueuses.
PUBLICATIONS Y compris magazines sur papier glacé et feuilles d'information éditées par ordinateur	● Veillez à ce que ces publications respectent les goûts et les besoins du personnel. Cherchez à savoir si vos efforts sont récompensés en demandant un retour. ● Ce type de support implique un effort considérable pour ne toucher parfois que peu de lecteurs.
SUPPORTS ÉLECTRONIQUES Y compris sites Web, réseaux internes (Intranets) et autres réseaux électroniques	● Ils permettent d'obtenir des réponses immédiates aux questions, de transmettre en quelques secondes des informations dans le monde entier, et peuvent être réactualisés en permanence. ● L'inconvénient majeur est le risque d'abus, y compris pour un usage personnel.
SUPPORTS TÉLÉVISUELS Y compris vidéos, télévisions en circuit fermé et multimédia	● Approche moderne en plein essor, qui intègre souvent des éléments interactifs pour une efficacité optimale. ● Ces supports de communication peuvent s'avérer coûteux car ils nécessitent une formation et l'intervention de professionnels.

PROMOUVOIR SON ÉQUIPE

En tant que responsable, vous devez promouvoir image de votre équipe dans l'entreprise. Dans ce but, faites état du travail accompli par votre équipe, assurez-vous de la présence de membres de la direction à vos célébrations, sessions de formation ou réunions stratégiques, veillez à ce que les réussites de votre équipe se propagent par le biais des publications internes et en les évoquant lors de vos interventions dans les autres départements.

98 Trouvez celui de vos collaborateurs qui est le plus compétent en matière de communication.

Vérifier que
Votre Message Passe

Si vous communiquez pour améliorer des perceptions, vous devez vérifier si votre message a été reçu. Les responsables sont souvent mauvais juges en la matière. N'oubliez pas qu'il n'existe qu'une seule source fiable d'information concernant les perceptions : ceux qui reçoivent les messages.

99 Si vous voulez que vos collaborateurs soient honnêtes envers vous, soyez franc avec eux.

OBTENIR UN ▼
FEED-BACK UTILE
Une communication efficace tient à la capacité à obtenir un feed-back et à y répondre convenablement. Suite à un feed-back, agissez rapidement. Organisez régulièrement des réunions d'équipe pour vérifiez que le feed-back est bien pris en compte.

Évaluer les Perceptions

Le test décisif pour savoir si la communication fonctionne bien est de déterminer ce que les destinataires perçoivent. Une mauvaise perception peut être justifiée ou provenir de ce que le message n'est pas passé. Vous devez alors réagir. Une analyse honnête des causes d'un échec vous permettra d'établir une meilleure trame de communication dans l'avenir.

ÉCOUTER SON PERSONNEL

Le feed-back le plus parlant découle de conversations informelles en tête à tête entre des responsables et leurs subordonnés. Mais les tendances sont aussi perceptibles par des moyens plus classiques, telles les enquêtes de comportement, néanmoins parfois coûteuses à conduire. Il existe d'autres types d'enquêtes plus limitées qui fournissent des informations utiles, telles que le sondage par échantillons, les boîtes à idées et les groupes de réflexion. Par exemple, sondez deux fois l'an votre personnel pour savoir quelle note ils attribuent à la direction. Des enquêtes aussi ciblées soulèvent les problèmes et donnent des indications sur le moral des troupes. Comme pour les feed-back, l'important est de savoir réagir aux réponses reçues.

À POSER AU PERSONNEL

Q Comment vous procurez-vous la plupart de vos informations concernant l'entreprise ?

Q Votre responsable communique-t-il souvent, en permanence, quelquefois, presque jamais avec vous ?

Q Que savez-vous de la stratégie de l'entreprise ?

Q Sur quels sujets vous aimeriez être informé alors que vous ne l'êtes pas ?

Q Quel est le moyen de communication le plus efficace pour vous ?

100 Si au moins deux personnes expriment la même doléance, elle risque de se généraliser.

CONNAÎTRE LES OPINIONS DE L'EXTÉRIEUR

Si la communication interne lève le voile sur des problèmes, il est fort probable que vous devez améliorer aussi les perceptions à l'extérieur de l'entreprise. Vous pouvez obtenir un feed-back auprès de vos fournisseurs et clients, ou en menant une enquête auprès de groupes cibles. Vérifiez également quelle a été la réponse globale à vos dernières campagnes publicitaires ou opérations de relations publiques. Remédiez au plus vite au moindre signe de mécontentement.

AMÉLIORER LA COMMUNICATION

Pour améliorer la communication, impliquez tous les responsables. Déterminez si d'autres catégories de personnel doivent améliorer leur capacité à communiquer. Développez un plan d'action pour la communication extérieure et impliquez quelques collaborateurs dans sa mise en œuvre. Vous devez aller à la racine de tous les problèmes, renforcer votre efficacité et modifier les perceptions sous peine de renouveler vos erreurs.

101 Si vous n'obtenez que des feed-back positifs, c'est qu'on ne vous dit certainement pas toute la vérité.

ÉVALUER SES COMPÉTENCES
EN MATIÈRE DE COMMUNICATION

estez vos performances à l'aide du test ci-dessous. Soyez le plus honnête possible. Si votre réponse est « Jamais », cochez la case 1 ; si c'est « Toujours », cochez la case 4, etc. Additionnez vos points, puis reportez-vous à l'encadré « Résultats ». Servez-vous des notes obtenues pour déterminer les points à améliorer.

OPTIONS
1 Jamais
2 Parfois
3 Souvent
4 Toujours

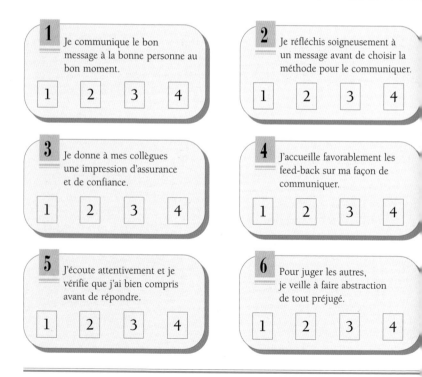

1 Je communique le bon message à la bonne personne au bon moment.

1 2 3 4

2 Je réfléchis soigneusement à un message avant de choisir la méthode pour le communiquer.

1 2 3 4

3 Je donne à mes collègues une impression d'assurance et de confiance.

1 2 3 4

4 J'accueille favorablement les feed-back sur ma façon de communiquer.

1 2 3 4

5 J'écoute attentivement et je vérifie que j'ai bien compris avant de répondre.

1 2 3 4

6 Pour juger les autres, je veille à faire abstraction de tout préjugé.

1 2 3 4

7 J'adopte une attitude constructive et je suis aimable avec les autres.

1 2 3 4

8 Je prends le temps de fournir aux autres les informations nécessaires.

1 2 3 4

9 J'organise des réunions en tête à tête pour les évaluations et pour donner des directives.

1 2 3 4

10 J'interroge les gens pour savoir ce qu'ils pensent et comment ils se sentent.

1 2 3 4

11 Je donne des briefings écrits contenant toutes les instructions sur les tâches à accomplir.

1 2 3 4

12 Je me sers des techniques des professionnels du téléphone pour mieux communiquer.

1 2 3 4

13 J'utilise tous les moyens électroniques disponibles aujourd'hui pour communiquer.

1 2 3 4

14 J'applique les règles de la bonne écriture à toutes les communications écrites.

1 2 3 4

15 J'ai une méthode efficace pour prendre des notes en toutes circonstances.

1 2 3 4

16 Je fais relire mes documents et courrier importants par une personne critique et fiable.

1 2 3 4

COMMUNIQUER POUR DES RÉSULTATS

17 J'utilise des techniques de lecture rapide pour améliorer mon rythme de travail.

| 1 | 2 | 3 | 4 |

18 Je prépare soigneusement mes interventions orales et ce sont des succès.

| 1 | 2 | 3 | 4 |

19 Je participe ouvertement et activement à la formation interne.

| 1 | 2 | 3 | 4 |

20 J'applique aux événements importants un niveau d'exigence professionnel.

| 1 | 2 | 3 | 4 |

21 J'utilise les techniques de vente discrète et de vente forcée pour faire accepter mes idées.

| 1 | 2 | 3 | 4 |

22 J'entame mes négociations bien informé des enjeux et des besoins de la partie adverse.

| 1 | 2 | 3 | 4 |

23 Mes rapports sont précis, concis, clairs et bien structurés.

| 1 | 2 | 3 | 4 |

24 J'effectue des recherches approfondies avant de rédiger une proposition.

| 1 | 2 | 3 | 4 |

25 J'essaie de comprendre les perceptions de tous les partenaires de l'entreprise.

| 1 | 2 | 3 | 4 |

26 J'évalue l'aide que pourraient apporter des experts sur des questions de relations publiques.

| 1 | 2 | 3 | 4 |

27 Je noue des relations utiles avec des journalistes et d'autres personnes en vue.

1 2 3 4

28 Je m'assure que les travaux qualifiés sont effectués par des professionnels qualifiés.

1 2 3 4

29 Mes briefings aux agences de publicité sont dictés par des objectifs commerciaux précis.

1 2 3 4

30 Ma priorité est de communiquer régulièrement avec mes collaborateurs.

1 2 3 4

31 Je reçois et je réponds de manière positive à tous les feed-back.

1 2 3 4

32 J'ai développé une stratégie de communication que je mets en parallèle avec mes activités.

1 2 3 4

RÉSULTATS

Après avoir répondu à toutes les questions, additionnez vos points et vérifiez vos performances d'après le total obtenu. Quel que soit votre score, n'oubliez pas que vous pouvez toujours vous améliorer. Identifiez vos points faibles et reportez-vous dans cet ouvrage aux paragraphes correspondants qui vous donneront des conseils et des trucs pour accroître vos compétences dans le domaine de la communication.

De 32 à 64 points : Vous ne communiquez pas efficacement ou pas assez. Écoutez les feed-back et tirez des enseignements de vos erreurs.
De 65 à 95 points : Votre capacité à communiquer est irrégulière. Envisagez de travailler vos points faibles.
De 96 à 128 points : Vous avez des dons pour communiquer, mais n'oubliez pas qu'on ne communique jamais trop.

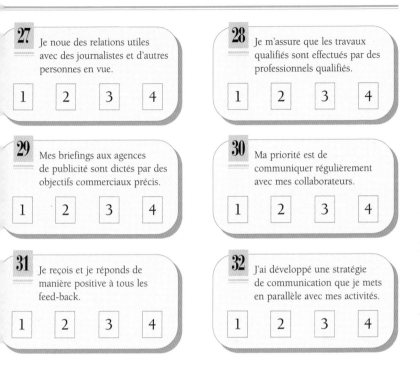

INDEX

CRÉDITS PHOTOGRAPHIQUES

Photographies

Code : h *haut* ; b *bas* ; c *centre* ; d *droite* ; g *gauche*

The Coca-Cola Company : 55bg ;
PowerStock Photo Library 49bd ; Robert Harding Picture Library : RW Jones 4 ;
Telegraph Colour Library : M. Malyszko 37bg ; Tony Stone Images : Bruce Ayres 39b,
Sylvain Coffie 31hd, David Hanover 57hg.
Front cover Robert Harding Picture Library : RW Jones hd.

Sommité dans le monde du management international,
Robert Heller est le fondateur du plus grand magazine de management
en Grande-Bretagne : « *Management today* ». Il est très demandé comme conférencie
en Europe, en Amérique du Nord et du Sud et en Extrême Orient.
En tant que directeur de la publication du *Haymarket Publishing Group*,
il est responsable du lancement, en Grande-Bretagne, de plusieurs magazines
couronnés de succès comme *Campaign*, *Computing* et *Accountancy Age*.
Ses nombreux ouvrages, unanimement salués par la critique, sont des best-sellers
mondiaux, dont voici les titres : *The Naked Manager*, *Culture Shock*,
The Age of the Common Millionaire, *The Way to Win* (en collaboration
avec Will Carling), *The Complete Guide to Modern Management* et le plus récent,
In Search of European Excellence.